狂える世界と不確実な未来

斎藤直樹
SAITO Naoki

新型コロナウイルスの謎
米中新冷戦の勃発
二〇二〇年米大統領選の真相

論創社

はじめに

二〇二〇年は現代史に刻まれるであろう重大な分岐点になった感がある。二〇一九年の終わりに発生したとされた新型コロナウイルスは二〇二一年の今もわが国を含め世界の多数国に甚大な被害を与えている。

一日も早い収束が望まれるが、同ウイルスの発生源はどこなのか、習近平指導部は何故、ウイルスの感染拡大を封じ込めるための初動対応に躓いたのか、同指導部はウイルスの感染拡大をどのように隠蔽しようとしたのかなど、同指導部の対応は様々な疑問を提起している。

これと並行するかのように米中間で冷戦が勃発した様相を呈し始めている。世界大国を目論む中国の膨張主義的かつ覇権主義的動きに対し米国がそうした動きを真っ向から封じ込めようとした結果、今や、米中新冷戦は動かぬ現実になろうとしている感がある。

さらに二〇二〇年一一月に米大統領選が行われた。コロナ禍での大統領選ということもありトランプ氏は大苦戦を強いられたが、選挙後、まもなく大統領選の勝敗を覆しかねない大規模不正が企てられていたことが発覚し、少なからずの米国民に衝撃を与えることになった。

とは言え、二〇二一年一月二〇日に大統領選で何もなかったかのように、バイデン政権が発足した。

この一年で新型コロナウイルスによるパンデミック、米中新冷戦の勃発を思わせる米中対立、米大統領選での大規模不正事件など、世界に深刻な衝撃を与える事件が続発している感がある。まさに世界は狂える様相を呈していると言っても過言でない。

これに、わが国はどのように向き合うべきか真剣に考える必要があるのではなかろうか。

二〇二一年九月

著　者

狂える世界と不確実な未来　目次

——新型コロナウイルスの謎・米中新冷戦の勃発・二〇二〇年米大統領選の真相

狂える世界と不確実な未来

——新型コロナウイルスの謎・米中新冷戦の勃発・二〇二〇年米大統領選の真相

序　論——本書の内容

【第一章　習近平の大罪－新型コロナウイルスの謎】

二〇一九年一二月頃に中国の湖北省の武漢市で発生したとされる新型コロナウイルスはわが国を含め世界の多数国に今も、甚大な被害を与えている。新型コロナウイルスに感染した最初の患者が見つかったのは二〇一九年一二月一日であるとされてきた。その後、WHO（世界保健機関）が世界的大流行である「パンデミック（pandemic）とみなさせる」と宣言したのは二〇二〇年三月一一日であった。[1] この間、約百日間も経過していた。百年に一度と言われる未曽有の爆発的感染拡大を踏まえたとき、「パンデミック」の宣言は明らかに時機を逸した感が否めない。このことは時系列に振り返った時、明白である。そこで浮上するのが二〇二〇年一月二四日に始まる中国の「春節」時での莫大な数に上る中国人旅行者の海外渡航である。不可解なのは最高指導者である習近平中国共産党総書記が「春節」時の海外渡航にこれといった制限を行わなかったことである。加えて、そうした習近平を擁護し続けているのがWHOのテドロス（Tedros Adhanom Ghebreyesus）事務局長の存在である。習近平に忖度するあまりテドロスが二〇二〇年一月三〇日の「緊急事態」宣言とその後の「パンデミック」宣言を遅延させたのではないかと疑われる。この結果、世界各地への感染拡大は一層不可避となったのではなかろうか。新型コロナウイルスの発生源は一体どこなのか。習近平指導部は何故、ウイルスの感染を中国国内に封じ込めることができなかったのか。ウイルスの拡散を隠蔽するために習近平指導部がどのような工作を行ったのか。習近平はウイルスを封じ込める責任を中国は果たしたと自画自賛してきたが、本当にそうなのか。第一章はこの間の推移を時系列に振り返りながら、新型コロナウイルスを巡る様々な問題について考察したい。

【第二章　米中新冷戦の勃発－世界大国を目論む中国と米国の対峙】

習近平は二〇一二年に「中国の夢」について語った。その「中国の夢」とは「中華民族の偉大なる復興」を意味する。より具体的には一九四九年の中華人民共和国の建国から百周年を迎える二〇四九年までに、文字通りの世界一の国家を目指すという遠大な国家戦略であると言える。この遠大な国家戦略の実現に向けて習近平指導部は邁進している感があるが、同戦略は「一帯一路」構想の推進をはじめとする幾つかの重要な柱から成り立つと理解できる。これに対し、トランプ政権はそうした中国の動きは既存の国際秩序に対する真っ向からの挑戦であるとして捉え、これを断固封じ込めるべく対抗措置を講じてきた。この結果、米中間で貿易摩擦問題に代表される激しい対立が発生した。その後、貿易に関する第一段階の合意が成立したことにより、米中対立は一段落した感がある。ところが、ここに起きたのが新型コロナウイルスの感染拡大であった。二〇一九年一二月頃に中国の湖北省武漢市で同ウイルスの感染が確認されるとまもなく、同ウイルスは中国国内だけでなく世界各地で瞬く間にパンデミックを引き起こした。皮肉なことに、ウイルスの発生源である中国では同ウイルスに起因する感染症が事実上、収束した感がある一方、米国はいかなる国よりも甚大な被害に苛まれることになった。米国内では初動対応に躓いたとしてトランプ大統領が激しい非難の矢面に立たされ、二〇二〇年一一月の大統領選で大苦戦を強いられたことは周知のとおりである。

ところが、コロナ禍の下でわが国を含め中国の近隣諸国がコロナ対策に追われている最中、習近平指導部はコロナ禍をあたかも逆手に取るかのように世界大国の実現に向けてがむしゃらに突進している感がある。この結果、香港の自治の事実上の剥奪を始めとして様々な問題が起きている。これに対し、そうした動きをもはや看過できないとみたトランプ政権が猛然と反転攻勢に打って出た結果、米中間の激しい対立は今や米中新冷戦が勃発した様相を呈していると言っても過言でない。その後、習近平指導部の膨張主義的かつ覇権主義的な動きに対し真っ向から封じ込める姿勢にバイデン政権が転じようとしている。第二章は以下の幾つかの問題を考えてみたい。第一に、世界大国の実現を目論む習近平指導部の国家戦略とはいかなるものか。第二に、コロナ禍を逆手に取るかのように習近平指導部は世界大国の実現に向けて邁進している感があるが、そうした動きを看過できないとみたトランプ政権はどのように反転攻勢に打って出たのか。第三に、コロナ禍の下でわが国はどのような教訓を学んだか。また今後、米中冷戦が勃発するとすれば、わが国はこれにどのように向き合うべきであろうか。

【第三章　盗まれた大統領選－二〇二〇年米大統領選の真相】

二〇二〇年米大統領選において勝敗が覆るほどの大規模選挙不正が企てられたことは事実のようである。大手メディアは選挙不正について一切報道していないが、未曾有と言うべき規模の深刻な不正が行われたことは少なからずの米国民の間では公然とした事実である。二〇二〇年一一月上旬に行われた「フォックス・ニュース」による世論調査は選挙不正に対する米国民の認識を正確に示した。上記の世論調査によると、「大統領選はトランプから盗まれた」とみる世論は驚くべき数字を示した。それによれば、全体では三六％、トランプ候補への投票者では七七％、共和党員では六八％、無党派層では二六％、民主党員では一〇％が大統領選は盗まれたとみている。(2) 世論調査で実に米国民の三人に一人以上が大統領選は盗まれたと回答したように、米国民の相当数が大統領選で勝敗が覆るほどの大規模かつ深刻な不正があったと認識していることは尋常な事態ではない。とは言え、何もなかったかのように二〇二一年一月二〇日に、バイデン政権が発足した。

第三章は二〇二〇年米大統領選が提起する幾つかの重大な問題を考察する。第一に、どのように大規模選挙不正は企てられたのか。また選挙不正はどのように発覚したのか。第二に、大規模不正が企てられたにもかかわらず、FBIや司法省などは何故、不正を捜査しようとしなかったのか。これと関連して、不正は一切なかったと大手メディアが沈黙を続けたのは何故か。第三に、二〇二一年一月六日に熱狂的なトランプ支持者の一部が米連邦議会議事堂を襲撃するという事件を引き起こしたが、同襲撃事件はいかなるものであったか。第四に、同襲撃事件はトランプ弾劾裁判へと発展したが、同弾劾裁判はいかなるものであったか。第五に、今後、二〇二〇年米大統領選で企てられた選挙不正の解明が行われないままでは、二〇二四年大統領選において大規模の不正が企てられないという保証はない。もしそうしたことがあれば、米国の民主主義が根底から崩れかねないと言えよう。二〇二〇年米大統領選で何が起きたかを知る必要があろう。

第一章　習近平の大罪－新型コロナウイルスの謎

1　新型コロナウイルスの感染発覚

「感染者〇号」（二〇一九年一二月一日）

事の始まりは二〇一九年一二月頃、中国の湖北省、武漢市の多くの病院に発熱など体調の異変で多くの患者が押しかけたことであったとされてきた。その中でも、金銀潭（ジンインタン）医院で最初の入院患者が発症したのは一二月一日であるとされた(1)。このことは二〇二〇年一月二四日にイギリスの医学誌『ランセット（The Lancet）』に掲載された論文「中国の武漢市において二〇一九年の新型コロナウイルスに感染した患者の臨床的特徴」で言及された(2)。同論文をまとめたのは同病院の黄朝林（ハン・チャオリン）を筆頭とする複数の医師であった。同論文によると、二〇二〇年一月二日までに同病院に入院した四一人の患者が新型コロナウイルス（2019-nCoV）に感染していたと特定された。そのうち、二七人がウイルスの発生源ではないかと目されている武漢市の華南水産卸売市場との関連が疑われた。他方、その他の一四名の患者は同市場に出入りしておらず、その感染経路については不明であった。また一二月一日に出たとされる最初の患者も市場と関係がないとみられる。最初の患者の記載を含め『ランセット』掲載論文が事実関係に即して書かれたものであるか必ずしも明らかでない。[3] 最初の感染者は一一月の段階ですでに出ていたとの推察もあった。[4]

李文亮、「華南水産卸売市場の七人がＳＡＲＳと確認された」（一二月三〇日）

この間、武漢市の他の病院にも多くの患者が押しかけた。こうした中で一二月三〇日にある医師がＳＮＳを通じ医師仲間達に発信した。この医師とは武漢市中心医院の眼科医の李文亮（リー・ウェンリャン）である。[5] 同日、李文亮は医師仲間達に「華南水産卸売市場の七人がＳＡＲＳ（重症急性呼吸器症候群）と確認された」と伝え、感染を防ぐために防護服を着用するよう助言した。

ＳＡＲＳは二〇〇二年一一月頃から翌二〇〇三年七月頃に広東省や香港などで流行したＳＡＲＳコロナウイルス（SARS-CoV）に起因するウイルス性の呼吸器疾患であった。ＳＡＲＳの感染者数は八〇九六人に上ったとされる一方、死者数は三七ヵ国で七七四人に及んだとされる。その後の研究で、コウモリの一種であるキクガシラコウモリ（rhinolophus affinis）がＳＡＲＳの保有宿主（感染源動物）であった可能性が高いと考えられている。[6]

しかし李文亮が気づいていなかったのはこの感染症がSARSではなく新型のコロナウイルスであることであった。ところでSNSでの李文亮の助言はあくまで患者の治療に際し医師仲間達に注意を喚起したものであった。ところが、武漢市公安局からみて李文亮の書込みは看過できなかった。数日後、李文亮は武漢市公安局に呼び出され、激しく叱責された。公安局は李文亮に「我々はあなたに厳粛に警告する。頑なに無礼な振る舞いを続けたり、こうした違法行為を続けるのであれば、あなたは裁かれることになるだろう。わかったか」と、恫喝ともとれる警告を鳴らした。(7) その結果、李文亮は「社会秩序を著しく乱した」と書かれた「訓戒書」に署名するよう指示された。李文亮は仕方なく従った。しかし、公安局からの呼出しから一週間後、医療現場に復帰した李文亮は患者を治療した際、新型コロナウイルスに感染していた患者から感染したとされる。その後、二月七日に李文亮は同ウイルスに起因する肺炎で死亡している。

李文亮が医師仲間達に発信した一二月三〇日に武漢市衛生健康委員会は医療機関に向けて「原因不明の肺炎の治療に関する緊急通知」を配信した。(8) それによると、武漢市の病院で原因不明の肺炎の症例が多数みられる。どうやら、感染者は華南水産卸売市場と関係があると考えられるというものであった。ところが、この通知がインターネットで一気に拡散してしまった。

中国国家衛生健康委員会専門家グループ、武漢市訪問（一二月三一日）

翌日の三一日に武漢市を訪問した中国国家衛生健康委員会の専門家グループは肺炎患者の多数が華南水産卸売市場となんらかの関わりがみられるとの所見を述べた。[9] さらに三一日に感染症の発生源でないかと疑惑視された華南水産卸売市場に多くの防疫官がやってきて市場の消毒を行った。[10] 翌日の二〇二〇年一月一日に同市場は閉鎖された。

習近平、政治局常務委員会議（二〇二〇年一月七日）

この時点で中国共産党中央が事態の推移を把握していなかったと思われがちであるが、二〇二〇年一月七日に中国共産党政治局常務委員会議が開催された。[11] しかも習近平共産党総書記は席上、新型コロナウイルスの感染拡大の阻止に全力を挙げるよう強く求めたとされる。このことはかなり早い時点で、習近平が同ウイルスの存在を掴んでいたことを意味する。一月九日に中国当局は新型コロナウイルスのゲノム情報を開示した。これにより、新型コロナウイルスがＳＡＲＳコロナウイルスと極めて類似していることが明らかになった。[12] 続いて、一月一一日に武漢市衛生健康委員会は一月九日に新型コロナウイルスによる初の死者が出たことを伝えた。[13]

「ヒト - ヒト感染」の可能性（一月一〇日）

この間の一月六日から一〇日まで武漢市の人民代表大会ならびに政治協商会議が開催された。同会議において患者数には変化が見られないことが確認された。これに続いて、一一日から一七日には湖北省の人民代表大会ならびに政治協商会議が開催された。同じく、患者数の増加は報告されなかった一方、「ヒトからヒトへの感染の明確な証拠はまだなく、可能性は排除できないもののそのリスクは比較的低い」と言及された。[14] 実に分かりにくい報告であるが、要するに新型コロナウイルスに起因する「ヒト - ヒト感染」が起きている可能性があることを婉曲に物語った。

馬暁偉、「最も深刻な危機」（一月一四日）

しかし前述の湖北省の人民代表大会ならびに政治協商会議が開催されている最中の一月一四日に中国国家衛生健康委員会で馬暁偉（マ・シャオウェイ）主任はＳＡＲＳ以来の

「最も深刻な危機」であると警告していたことが後に明らかになる。[15] 馬暁偉の発言は新型コロナウイルスの脅威を真剣に認識していたことを物語る。ところが後述するとおり、一月二〇日まで習近平は沈黙を保ったままであった。

2　動揺する習近平

鍾南山、「ヒト‐ヒト感染の現象が起きていると言える」（二〇二〇年一月二〇日）

一月二〇日に事態は急変する。中国国家衛生健康委員会の専門家グループの委員長に就任した鍾南山（チョン・ナンシャン）は一月二〇日に国営中央テレビの会見で、「現在、ヒト‐ヒト感染の現象が起きていると言える」と発表して、事態が切迫していることを公にした。[16]「ヒト‐ヒト感染」が起きていると中国を代表する感染症の専門家が警鐘を鳴らしたことにより、「ヒト‐ヒト感染」を習近平も認めざるをえなくなった。

この鍾南山という人物はSARSが中国で流行した時、当時の中国国営メディアがSARSを的確に制御できているとしたのに対し、制御できていないと、堂々と自説を主張した人物である。中国では「SARSの英雄」と称されるほど、多くの中国国民から信頼を集めた人物であり、こうしたことから、今回、国家衛生健康委員会の専門家グループの委員長に抜擢されたと言えよう。[17]

他方、これに慌てたＷＨＯは一月二〇日と二一日に武漢市での現地調査を実施すべく代表団を派遣した。しかしＷＨＯは人から人への感染が起きている証拠があるが、一層の精査が必要であるとお茶を濁した。[18]

習近平、「重要指示」（一月二〇日）

この間の一月二〇日に中国共産党最高指導部はついに重い腰を上げた。同日、習近平は新型コロナウイルスの感染拡大を阻止すべく全力を挙げる旨の「重要指示」を出したことを二一日に『人民日報』が伝えた。[19] 習近平曰く、「湖北省武漢市などで最近、新型コロナウイルスによる肺炎が次々に発生している。これを非常に重視し、全力で予防・抑制の取組を達成しなければならない。ちょうど春節期間にあたり、人々が広範囲に密集して移動する。感染の予防・抑制の取組を達成することが非常に重要である。」この「重要指示」から伝わってくるのは同ウイルスの感染拡大についての危機感であるが、問題は中国国内での人の移動はともかく国外への人の移動について習近平が何ら言及していないことであった。実際に国外への人の移動が遠からず世界をパンデミックに陥れる爆発的感染拡大を招くことになる。

いずれにしても、習近平が「重要指示」を出したのは前述の馬暁偉が一月一四日にＳＡＲＳ以来の「最も深刻な危機」であると発言してから六日後の一月二〇日であった。ＡＰ通信によると、この六日間に感染者数は三〇〇〇人以上に上ったと推定される。[20]

習近平、「パンデミックの警告を延期するよう頼んだ」（一月二一日）

ところが、習近平は「春節」時の莫大な数に上る中国人旅行者の海外渡航が引き起こしかねないリスクに危機感を持っていたことが後に暴かれることとなる。二〇二〇年五月八日に『シュピーゲル紙（Der Spiegel)』はドイツ連邦情報局（ＢＮＤ）から入手したとされる衝撃的な記事を掲載した。[21] にわかに信じがたい話であるが、一月二一日に習近平がテドロスＷＨＯ事務局長に電話を入れ、「ウイルスが人から人へ感染する情報を差し控え、パンデミックの警告を延期するよう頼んだ」とされる。

事の真偽は不明であるものの、テドロスが世界に向けて「国際的に懸念される公衆衛生上の緊急事態（Public Health Emergency of International Concern)」宣言を行うのは九日後の一月三〇日であり、「パンデミックとみなせる」と宣言するのは四九日後の三月一一日である。もしも習近平がテドロスに圧力をかけたことが事実であるとすれば、世界各地でまもなく猛威を振るうことになる新型コロナウイルスの感染を拡大させた隠蔽責任は少なからず習近平にあり、これに加担したと疑われるテドロスにも責任の一端はあると言えよう。

これに対しＷＨＯは五月九日に事実無根と猛反駁した。同日のＷＨＯの声明によると、「テドロス事務局長と習近平中国国家主席の一月二一日の電話会談に関する『シュピーゲル紙』の報道は根拠がなく真実ではない。テドロス博士と習主席は一月二一日に話をしていないし、電話会談を行ったことはない。そうした不正確な報告はＷＨＯと新型コロナウイルスのパンデミックを収束させる世界の努力を混乱させるものである。[22]」

ＣＩＡ報告、「中国はＷＨＯのコロナウイルス調査への協力をやめると脅した」

しかし、疑惑は一向に晴れない。中国当局がＷＨＯに新型コロナウイルスに関する「国際的に懸念される公衆衛生上の緊急事態」の宣言を遅らせようと働きかけたとＣＩＡ（中央情報局）が確信していると『ニューズウィーク紙』は五月一二日に報じた。"U.N.-China:

WHO Mindful But Not Beholden to China"と銘を打ったCIA報告によると、「WHOが新型コロナウイルスに関する緊急事態を宣言すれば、中国はWHOのコロナウイルス調査への協力をやめると脅した」とある。[23]

3 「春節」と海外渡航許可

WHO、緊急委員会（二〇二〇年一月二二日〜二三日）

翌日の二二日にテドロスはWHOの緊急委員会を招集したものの、緊急委員会は紛糾し、そのため「国際的に懸念される公衆衛生上の緊急事態」に該当することに合意をみなかった。[24] WHO緊急委員会は二三日にも開催されたが、委員会はまたしても紛糾し結論は出なかった。[25] 不透明なのは、WHOの緊急委員会の中でどのような意見の対立があり、結論に至らなかったことについて何ら説明がなされていない。緊急委員会が改めて開催されることになったが、この二二日の時点でWHOは世界に向けて「緊急事態」を宣言する重大な機会を逸したことになる。膨大な数に上る中国人旅行者が世界中に出かける中国の「春節」は迫っていた。

武漢市、封鎖（一月二三日）

一月二四日に始まる「春節」が迫る中で、二三日に習近平指導部は爆発的な感染が拡大しつつあった武漢市を文字通り、封鎖すると共に、中国内の他の都市への移動を制限する決定を行った。この時点で『ニューヨーク・タイムズ紙』や『ワシントン・ポスト紙』などの米主要新聞は習近平指導部が武漢市の封鎖を断行したと報道したものの、肝心の「春節」時に中国人旅行者の海外渡航が引き起こしかねないリスクの可能性についてほとんど言及していない(26)。これが重大な結果を招くことをこの時点でこれらのメディアが注視していなかったのであろうか。いずれにしても、習近平指導部は「春節」での中国人旅行者の海外渡航にこれといった制限を加えなかった。このことが世界中にウイルスをまき散らす決定的な原因となるのである。

「春節」（一月二四日〜二月二日）

もし習近平指導部が新型コロナウイルスの爆発的な感染が起こる危険性があるとして「春節」での海外渡航を制限したり禁止することがあれば、状況は大きく変わっていた可能性がある。しかし習近平はそれをしなかった。中国国民の多くが何よりも心待ちにしていた「春節」での海外渡航を制限するという選択肢は実際には習近平になかったのであろう。もしも習近平が制限することがあれば、中国の人々の不満は巨大な怒りとなり習近平に向かっていたであろう。そうすれば、習近平が拠り所とする権力基盤さえ揺らぎかねなかった。そうした中で、自分に向けられたであろう非難があまりにも大きく、あえてそうしなかったのではなかろうか。全世界に新型コロナウイルスを拡散させることになることを習近平はどこまで認識していたであろうか。習近平指導部が「春節」での海外渡航制限に向けてこれといった手を打たなかった結果、膨大な数に及ぶ中国人旅行者が世界各地に旅立った。わが国にも九〇万以上の旅行者が訪れることになったが、これがわが国での新型コロナウイルスの感染につながったのは記憶に新しい。

金正恩、中朝国境閉鎖（一月二二日）

この時、最も機敏に対応したのはあの金正恩であった。「春節」時に膨大な数に上る中国人旅行者が北朝鮮に向かうことになれば、何が起きるか金正恩は直感的に感じ取ったのであろう。北朝鮮の防疫体制が極めて脆弱であることを認識していた金正恩は一早く一月二三日に中朝間の国境を閉鎖した。[27] 中国と国境を接する一四もの国の中でこの時点で国境を閉鎖したのは北朝鮮だけであった。

4　後手、後手に回るＷＨＯ

習近平－テドロス会談（二〇二〇年一月二八日）

「春節」の最中の一月二八日にテドロス率いるＷＨＯの代表団は急遽、中国を訪問し、習近平と会談した。「春節」の最中での会談であったことは、テドロスとの会談がいかに重要であるか習近平は感じていたであろう。習近平の胸中を十分に察していたであろうと思われるテドロスは武漢市を封鎖したことにより危機を回避できたと手放しで習近平を称えた。テドロス曰く、「この流行に取り組む中国の真剣さ、とりわけ最高指導部の取組み、ウイルスのデータおよび遺伝子配列の共有を含め、指導部が示した透明性をわれわれは感謝する。[28]」

「春節」時において各国へ膨大な数に上る旅行者の渡航を放置することがどれだけ感染のリスクを拡大させるかテドロスが知らなかったはずはない。しかしテドロスは「春節」での旅行者の海外渡航のリスクについて一言も言及しなかった。明らかにテドロスはWHOの最高責任者としてあるまじき言動をとっていたことを物語る。

テドロス、「国際的に懸念される公衆衛生上の緊急事態」宣言（一月三〇日）

WHOが「国際的に懸念される公衆衛生上の緊急事態」を宣言したのは習近平とテドロスの会談から二日後の一月三〇日であった。[29] その時点では感染者数や死亡者数は中国に集中していた。これがテドロスとWHOの判断を狂わすことにつながったかもしれない。テドロスは「海外渡航と貿易を不必要に妨害する措置を講ずる理由はない」と誠に誤った勧告を発することにつながる。[30]

テドロスの声明によると、「……新型コロナウイルスの世界的な流行について国際的に懸念される公衆衛生上の緊急事態を私は宣言する。この宣言の主な事由は、中国国内で起きていることではなく他の国で生起していることによる。

我々の最大の懸念はウイルスがより脆弱な防疫体制の国に拡散し、それに対処する準備ができない可能性である。私が明確にしたいのは、この宣言は中国への不信感からではない。反対に、WHOは流行を制御する中国の能力を引き続き信頼している。[31]」テドロスはその上で、「海外渡航と貿易を不必要に妨害する措置を講ずる理由はない。ＷＨＯは貿易と人の移動を制限することを推奨しない」と勧告したのである。

その後に起きる未曽有の感染拡大を踏まえたとき、テドロスによる宣言は重大な問題を包摂したことが明らかである。テドロスはこの時点までに九九％の症例が中国国内に集中しているとし、それゆえに「海外渡航と貿易を不必要に妨害する措置を講ずる理由はない」と勧告したが、その後の爆発的な感染は上述のとおり、「春節」時の莫大な数に上る中国人旅行者の海外渡航によるところが大である。ＷＨＯが一月三〇日まで「緊急事態」を宣言しなかったことは明らかに時機を逸した感がある。しかもテドロスは「ウイルスがより脆弱な防疫体制の国に拡散し、それに対処する準備ができない可能性である」と言及した。もしその可能性を真摯に配慮したならば、一刻も早く海外渡航を制限しなければならなかったはずである。これ以降、海外渡航を制限するかどうかは各国政府の判断に委ねられた。後述の通り、トランプ政権は独自判断で一早く中国からの入国制限を発表した。これに対し、テドロスは後日、トランプの判断を批判するが、テドロスによる批判はトランプの逆鱗に触れることになる。テドロスが「海外渡航と貿易を不必要に妨害する措置を講ずる理由はない」と発言していたことを踏まえると、トランプが猛反駁に転じるのは無理からぬことであろう。

トランプ、「公衆衛生緊急事態」宣言 - 中国への渡航制限発表（一月三一日）

ＷＨＯによる「緊急事態」宣言を受け、一月三一日にトランプ大統領は「公衆衛生緊急事態（public health emergency）」と宣言した[32]。アザー（Alex Azar）米厚生長官は「今日、トランプ大統領は米国における新型コロナウイルスのリスクを最小限に抑えるため決定的な行動を講じた」と語った[33]。

この時点で、米国内で確認された新型コロナウイルスの感染者数は六人に止まり、死者は出ていなかった。このことから明らかな通り、トランプ政権の「緊急事態」宣言は感染が急拡大しうる可能性があると認識し、それを未然に阻止するために発令されたものであった。これにより、米国への感染拡大を阻止することができたとトランプが考えたかもしれない。しかし想定をはるかに超える形で米国にも感染が忍び寄り出していた。その後の米国の感染者数および死者数の激増は世界全体でも突出している。まさかそうした事態に及ぶとは、トランプは想像できなかったであろう。

中国疾病予防管理センター、「二〇一九年新型コロナウイルスの感染状況とリスク評価」（一月二七日）

一月二六日に中国疾病予防管理センター（ＣＤＣ）は新型コロナウイルスの発生源として疑われる華南水産卸売市場で採取された五八五個のサンプルを検査した結果、この内三三個のサンプルから同ウイルスの遺伝子が検出されたと公表した。(34) 続いて二七日に同センターは「二〇一九年新型コロナウイルスの感染状況とリスク評価」と銘打った報告書を発表した。それによると、新型コロナウイルスは野生動物に由来する可能性が高いと考えられる。感染経路については、二〇一九年一二月初めに同市場において野生動物からウイルスが漏洩し、それが市場を汚染し、続いて人に感染し、最終的に人から人への感染を起こしたのではないかと推論したのである。

5　ウイルス発生源についての研究論文

肖波涛、「新型コロナウイルスの可能な発生源」（二〇二〇年二月六日）

こうした頃、新型コロナウイルスの発生源について様々な推測や憶測が流布された。こうした中で、二月六日に衝撃的な内容の論文が「リサーチ・ゲート（Research Gate）」という論文集に発表された。論文は広東省の華南理工大学の肖波涛（シャオ・ボタオ）教授らがまとめた「新型コロナウイルスの可能な発生源」であった[35]。

既述のとおり、新型コロナウイルスの感染により肺炎を発症した患者が出た地域は武漢市であり、その時期は二〇一九年一二月とされた。当初、四一人の感染者が肺炎を発症したとされるが、その中で二七人が同市の華南水産卸売市場との関係を疑われた。新型コロナウイルスはＳＡＲＳの原因となったＳＡＲＳコロナウイルスと極めて類似していることが明らかになった。ところが、謎が残った。と言うのは、新型コロナウイルスを運んだのではないかと疑われたキクガシラコウモリが同市場で売買された事実はなかったからである[36]。キクガシラコウモリの生息地は浙江省や雲南省であり、同市場から九〇〇キロ・メートル以上離れている。コウモリが市場に飛んできた可能性は考え難かった。

問題の水産卸売市場でキクガシラコウモリが売買されていないことに注目した肖波涛は他の可能性を探った。肖波涛は発生源と目された水産卸売市場ではなく同市場に近接したウイルス研究所の武漢市疾病予防管理センター（the Wuhan Center for Disease Control Prevention（WHCDC））から何らかの原因でウイルスが流出した可能性を疑った。武漢市疾病予防管理センターは市場からわずか二八〇メートルという至近距離に位置する。[37] しかも、同センターは近年、コウモリを湖北省から一五五匹、浙江省から四五〇匹を捕獲したとされる。[38] 捕獲されたコウモリの中にはSARSを引き起こしたウイルスを持つとみられるキクガシラコウモリも含まれていた。同センターの研究員はコウモリの血液や尿が皮膚に付着したという経験があった。[39] 感染のリスクを恐れた研究員は自主的に隔離措置を講じたとされる。また新型コロナウイルスに感染した患者が駆け込んだユニオン病院（the Union Hospital）は武漢市疾病予防管理センターと近接していた。[40] 同病院の多数の医師達もまもなく同ウイルスに感染したとみられる。こうしたことから、同ウイルスが何らかの原因で上記のセンターから外部に流出し、人に感染した可能性があると肖波涛は推論したのである。

この研究所の他に同教授らが疑ったのは中国科学院武漢ウイルス研究所（Wuhan Institute of Virology, Chinese Academy of Sciences）の可能性であった。[41] ただし同研究所は華南水産卸売市場から一二キロ・メートルも離れている。

同論文の結論において肖波涛らはウイルス感染のリスクの高い研究所を人口密集地から遠方に移す必要があると警鐘を鳴らした。研究者としての良心に従っての警鐘であったと言えるが、習近平指導部を震撼させかねない内容の報告であることを肖波涛は自覚していなかったと考えられる。その後、発生源が中国とは限らないとする見解が中国当局者から続々と発信されることになる。肖波涛の推論のとおりであるとすれば、世界各地で猛威を振っているウイルスの発生源は事もあろうに武漢市のウイルス関連研究所であったことになろう。

習近平、「新バイオセキュリティー法」の促進（二〇二〇年二月一四日）

二月一四日に習近平が「新バイオセキュリティー法（new biosecurity law）」を強化する指示を打ち出したのはこうした背景を踏まえてことであろう(42)。これにより、いかなる研究機関も新型コロナウイルスの発生源について研究成果を公表する前に、中国政府による事前の承認を必要とする厳しい制限を習近平は課した。言葉を変えると、新型コロナウイルスの発生源について公言してはならないとする重大な警告であったと言える。上述の肖波涛らによる問題提起から約一週間後の警告であったことを踏まえると、習近平はこの種の発生源に関する研究が指導部の知らないところで表出する可能性についていかに神経を尖らせていたかを物語ったのである。

6　発生源を巡る米中対立

ＷＨＯ、「COVID-19」と命名（二〇二〇年二月一一日）

二月一一日にＷＨＯが「我々は日常的に、COVID-19について説明を行う」とし、新型コロナウイルスの正式名称をCOVID-19と命名した。[43]

鐘南山、「ウイルス発生源が中国とはかぎらない」（二月二七日）

この間、武漢市で爆発的な感染が起きたことを踏まえ、習近平指導部は武漢市を封鎖する行動に出たことは周知のとおりである。同ウイルスの発生源が武漢市の研究所である可能性があることは習近平指導部にとって認めがたい「不都合な真実」と言えた。ここで大任を任されたのが前述の鐘南山であった。二月二七日に鐘南山は「感染状況に対する予測において、我々はまず中国について考慮し、国外のことは考慮していなかった。今では国外でも感染が確認されている。最初に感染が発生したのは中国だが、ウイルス発生源が中国とは限らない」と、武漢市どころか中国でない可能性もあると示唆したのである。[44]　鐘南山が「ウイルス発生源が中国とは限らない」と発言した背後にはどのような思惑と意図があったのか。

ポンペオ、「武漢ウイルス」（三月五日）

鐘南山の発言はまもなくトランプ政権の高官から猛反発を買うことになる。習近平指導部が問題の所在をうやむやにしようとしていると感じたポンペオ米国務長官は新型コロナウイルスの発生源は武漢市であり、それゆえに「武漢コロナウイルス（"the Wuhan coronavirus"）」であると言い切った。三月六日にポンペオは「こうした事態を引き起こしたのは、武漢コロナウイルスだということを忘れてはいけない」と明言した。その前日の三月五日にもポンペオは「武漢ウイルス（"the Wuhan virus"）」と発言していた[45]。

これに対し、趙立堅（ジャオ・リージエン）が直ちに猛反駁に転じた。中国外務省報道局の記者会見で、趙立堅は「武漢ウイルス」または「中国ウイルス」という用語について聞かれ、メディアがそうした用語を使うのは「非常に無責任」であると吐き捨てた。「「中国ウイルス」と呼ぶことにより、裏付けとなる事実や証拠もないままその発生源を示唆することで、一部のメディアは明らかに中国が責任を取ることを望んでいる」と趙立堅は力

説し、中国がウイルスの発生源であるかどうか結論は出ていないと断じた。(46)

7　テドロス、「パンデミック」宣言

テドロス、「パンデミックとみなせる」（二〇二〇年三月一一日）

その後、テドロスが三月一一日に「パンデミックとみなせる」と表明したが、すでに手遅れであった。WHOの記者会見でのテドロスの釈明によると、「過去二週間で、中国以外での新型コロナウイルスの感染者数は一三倍に増加し、影響を受けた国の数は三倍に急増した。……現在、一一四ヵ国で一一万八〇〇〇件を超える症例があり、四，二九一人が落命した。……今後数日および数週間で、症数、死者数および影響を受ける国の数はさらに増加すると予想される。……こうしたことから、新型コロナウイルスはパンデミックとみなせるという評価をわれわれは行った。(47)」

このテドロスの釈明には幾つもの不可解な点があった。何故、一月三〇日に行われたWHOの「国際的に懸念される公衆衛生上の緊急事態」宣言から約四〇日も経過した三月一一日に初めてパンデミックという評価につながったのか。一月三〇日の時点で感染

者のほぼ九九%は中国に集中していたが、三月一一日の時点で感染者は一一四ヵ国で一一万八〇〇〇人に激増していた。しかも「過去二週間で、中国以外でのウイルスの症例数は一三倍に増加し、影響を受けた国の数は三倍に急増した」とテドロスが述べたが、それでは三月一一日までの間に何故、テドロスは的確な対応を講じなかったのか疑問とならざるをえない。少なくとも二月の終わりまでに「パンデミックとみなせる」という評価を行うべきでなかったのか。

しかも一月三〇日の時点で「海外渡航と貿易を不必要に妨害する措置を講ずる理由はない」とテドロスは勧告していた。しかしこのパンデミックはまさしくテドロスの言うところの海外渡航によって引き起こされたのでなかろうか。このことは、テドロスがウイルスの感染拡大のリスクを恐ろしく過小評価していたことを物語るわけであり、「海外渡航と貿易を不必要に妨害する措置を講ずる理由はない」と勧告していたことに重大な瑕疵があったことは明白である。その後、世界各地で爆発的激増を記録する事由の一端はこのテドロスの誤った勧告によるところが大きいと言わざるを得ない。習近平がテドロスに「緊急事態」宣言を遅らせるよう圧力を掛けたかどうかは不確かであるとは言え、テドロスが習近平のご機嫌をうかがい続けたあまり、対応は明らかに後手、後手に回っていたことは確かであろう。

趙立堅、「この感染症は米軍が武漢に持ち込んだかもしれない」（三月一二日）

こうした中で米国を激しく挑発する事件が発生した。三月一二日に上述の趙立堅中国外務省報道官が同ウイルスは米軍が武漢市に持ち込んだ可能性があるとツイッターに書き込んだのが事の始まりであった。趙立堅曰く、「米疾病対策センター（ＣＤＣ）が注目を集めた。米国で感染者〇号が出たのはいつか。感染者数は何名か。病院は何という名前か。この感染症は米軍が武漢に持ち込んだかもしれない。透明性を示せ。データを公開せよ。米国は説明する責任がある。[48]」

この書込みは唐突で意味不明な印象を与えるが、趙立堅が言わんとする背景には複雑な経緯があった。趙立堅が問題視したのは、武漢市で二〇一九年一〇月に開催された「世界軍人陸上競技大会」というスポーツ大会である。同大会には約一七〇人の米兵が参加したとされるが、この米兵達がウイルスを武漢市に持ち込んだと趙立堅は根拠もなく一方的に決めつけようとしたのである。しかも二〇二〇年三月一一日に米疾病対策センターのレッドフィールド（Robert Redfield）所長が行った米下院聴聞会での発言が趙立堅に根拠のない憶測を生ませた。レッドフィールドは同日、「インフルエンザ感染者の中に新型コロナウイルスの感染者が混入した事例があったと考えられる」と発言した。[49] これに趙立堅が噛みついて、上記の書込みにつながったと推察される。

趙立堅はフェイク・ニュースを装い、その責任を米国に擦り付けようとしたことから相当悪質な情報操作であったと言える。中国共産党による一党独裁国家において、政府機関に属する人間が確たる根拠もなく米国政府を激高させる内容を個人的見解として述べることは考え難い。もしこの人物が個人的見解としてこの種の発言を発信したとすれば、米中関係に重大な打撃を与えるとして叱責を受けることは免れなかったはずである。いずれにしても、この発言がトランプ政権を激しく刺激したことは明白であった。これは後々、米中関係に重大な禍根を残しかねない問題発言となる。

翌日の一三日の中国外務省報道官の記者会見の席上、耿爽（ゲン・シュアン）報道官は「実際にウイルスの発生源について米国と国際社会の間では意見が異なる。専門的で科学的な評価を必要とする科学の問題であると考えている」と、趙立堅をかばう発言を行った。[50] とは言え、趙立堅が新型コロナウイルスを米軍が中国に持ち込んだ根拠などを明らかにしたわけではない。そもそも米軍がそうしたウイルスを武漢市に持ち込むことがあれば、米中間の大問題に発展することは必至で、そうした可能性を論じること自体が不自然である。趙立堅の書込みがトランプを激高させたことは想像に難くない。しかもまさに米国でウイルスが爆発的に拡大し始めた状況であったことから、なおさらであった。その後、トランプ政権だけでなく米上院議員らから中国に対する厳しい非難があがる中で、趙立堅は三月一二日の書込みを撤回するという発言を行った。四月七日に趙立堅は「米国の一部政界関係者が中国に汚名を着せようとしたことへの反応であり、中国の多くの人が抱いた義憤を反映したものだ」と発言したのである。(51) 新型コロナウイルスの発生源という事実関係が厳しく問われる問題に対し、趙立堅は義憤による書込みであったと居直った。これでは義憤に駆られれば、政府関係者が事実関係に明白に反する暴言を世界に向けて発信してもよいものなのかという印象を与えた。

トランプ、「国家非常事態」宣言（三月一三日）

新型コロナウイルスによる感染が米国で急拡大する状況の下で、トランプは三月一三日に「国家非常事態（national emergency）」を宣言した。トランプ曰く、「今、私、米大統領のドナルド・トランプは……米国での新型コロナウイルスの発生が国家非常事態に該当すると宣言する。」[52]続いて、記者会見したトランプは「国家」と「非常事態」をつなぎ合わせた「国家非常事態」にはとても大きい意味があると強調し、最大五〇〇億ドルの連邦政府予算を検査や治療の拡充に投入すると発表した。[53]

この時点までの米国内の感染者数は一七〇一人であり、死者数は四〇人に上った。トランプは「これからの八週間が山場である」と力説した。[54]また欧州の二六ヵ国からの米国への入国制限をトランプ政権が発表した。この制限からイギリスやアイルランドは除外され、米国市民の帰国も許可された。入国制限は三月一四日午前〇時（米東部時間）に開始されるが、これにEUは猛烈な反対を表明した。[55]

新型コロナウイルスの発生源は武漢市であったが、三月上旬までにパンデミックの中心地はヨーロッパに移った感がある。欧州の二六ヵ国からの入国制限にトランプ政権が踏み切ったが、遅きに失したことが明白となる。その後、米国内でも新型コロナウイルスに起因する感染者数と死者数が爆発的に増加するに伴い、米国内で初動対応が遅れたとする猛烈な批判にトランプは曝され続ける。とは言え、トランプによる「国家非常事態宣言」がWHOの「パンデミックとみなせる」との宣言を受けて発令されたものであることを踏まえると、何よりも初動対応が遅れたのはテドロスによるパンデミック宣言であったと言わざるをえない。

習近平、「病原がどこから来て、どこに向かったのか明らかにしなければいけない」（三月一六日）

この間、「この感染症は米軍が武漢に持ち込んだかもしれない」とツイッターに書き込んだ趙立堅の暴言にトランプだけでなくトランプ政権が怒りを一気に爆発させると、事態の深刻さに気づいた習近平は「病原がどこから来て、どこに向かったのか明らかにしなければいけない」という趣旨の論文を三月一六日発行の中国共産党理論誌『求是』に寄稿した[56]。AIやビッグデータを駆使し徹底的に発生源を突き止めようと習近平は呼びかけた。習近平の狙いは中国が必ずしもウイルスの発生源ではないと装ったものであったが、習近平が発生源をごまかそうと目論んでいるとトランプに映ったことは明白であった。

8　トランプ対テドロス

トランプ、「中国ウイルス」（二〇二〇年三月一七日）

こうした中で三月一七日に「米国は特に中国ウイルス（"Chinese virus"）の煽りを食らっている航空業界などを強力に支援する。われわれはこれまで以上に強くなる」とツイッターにトランプが書き込むと[57]、この「中国ウイルス」という用語が問題視された。トランプは一七日のホワイトハウスでの記者会見で記者に「中国ウイルス」という書込みについて、「なぜ、人種差別主義と思われる表現を使い続けているのか」と問われた。これに対し、トランプは「[ウイルスが」中国から来たからである」と述べ、「まったく人種差別主義ではない。ウイルスは中国から来ている。それが理由である。私はこのことを正確にしたいだけである」と明言した[58]。これに対し、前述の耿爽は中国外務省報道局の記者会見で、「最近、一部の米国の政治家がコロナウイルスと中国を結び付けている。我々はそうした非難に強く憤慨しており断固反対を表明する。……そうした誤りを直ちに修正し、中国に対する不当な非難を止めるべきだ」と声を荒げた[59]。

鍾南山、「発生源が武漢であるという証拠はない」（三月一八日）

また三月一八日に前述の鍾南山は記者会見で発生源を改めてうやむやにする発言を行った。今や、習近平指導部の報道官になった感のある鍾南山は、「このウイルスは中国で感染が広がったが、発生源が武漢であるという証拠はない。科学と政治の問題は分けて考えるべきである」と反駁したのである。[60]

トランプ、「発生源で食い止めることができたはずだ」（三月一九日）

これに対し、トランプは一九日のホワイトハウスでの記者会見で「われわれが新型コロナについて知っていれば、あるいは彼らが知っていれば、まさに発生源の中国で食い止められていたはずだ。しかし今となっては世界のほとんどが、この恐ろしいウイルスに苦しめられている。」さらに「もし人々がそれについて知っていたならば、発生源で食い止めることができたはずだ」とトランプは繰り返し断言した。[61] すなわち、新型コロナウイルスの爆発的感染を世界に拡散した責任は中国にあるとトランプは言明したのである。

そうすると、二〇日に前述の耿爽は記者会見の席上、「過去二ヵ月間に米国に適宜に情報提供と技術協力を行ってきた。……我々の努力は全世界に貴重な時間をもたらした。しかし遺憾なことに、多くの米国メディアや専門家さえ、時間が浪費されたと信じている」とまたしても反駁した。[62]

トランプ、WHOへ拠出金の停止を再検討（四月七日）

米国で感染者数が激増する中で批判の矢面に立たされたトランプはやり場のない怒りをWHOにぶつけた。四月七日にトランプはWHOに対する批判をツイッターに書き込んだ。トランプの書込みによると、「WHOは新型ウイルス対策を本当に台無しにした。米国が大部分の資金を提供しているのに、何らかの理由で今もウイルス対策はすごく中国中心だ。我々は事態を注視することになるだろう。幸い私は早い段階で、中国からの入国を認め続けるよう要請したWHOの助言を拒否した。なぜWHOはこのような欠陥のある勧告を行ったのか。[63]」それでも怒りの収まらないトランプは七日にホワイトハウスでの記者会見の席上、テドロスへの批判を繰り返した。テドロスが一月三〇日に「緊急事態」を宣言したとき、「海外渡航と貿易を不必要に妨害する措置を講ずる理由はない」と勧告した。しかし事態を重く見たトランプは翌三一日に米市民でない渡航者の米国への入国を一時的に制限した。そうすると、「……私が間違いを犯したとWHOは言った。しかし渡航制限が正しいことが判明した」とトランプは反駁した。[64]その上で、今後、WHOへの拠出金の支払いを再検討するとトランプは表明したのである。

これに対し、テドロスは八日に「我々はすべての国家と密接な関係にある。我々は肌の色で区別などしない」として感染問題を政治化しないでほしいとトランプに反駁した。[65]

これにさらなる憤りを感じたトランプは「WHOが新型コロナウイルスの感染拡大に対しひどく不適切な対応と隠蔽を行った」とWHOをまたしても厳しく非難し、その上で、新型コロナウイルスの大流行を招いたWHOの初動対応についての検証を待ち、WHOへの拠出金支払を停止するとトランプは指示したのである。[66]

9 疑惑視される中国科学院武漢ウイルス研究所

『ワシントン・ポスト紙』、中国科学院武漢ウイルス研究所の可能性（二〇二〇年四月一四日）

上述のとおり、新型コロナウイルスの発生源は武漢市の華南水産卸売市場ではなく武漢市に位置するウイルス関連研究所ではないかと疑問視する論文が発表されていた。[67] そうした中で、『ワシントン・ポスト紙』が衝撃的な報道を四月一四日に伝えた。[68] それによると、事の発端は二〇一八年一月に在中国米大使館の専門家達が武漢市郊外に位置する中国科学院武漢ウイルス研究所を訪問したことに遡る。同研究所は中国で初のバイオセーフティーレベル－４（ＢＳＬ－４）とされる高度安全実験室を備えた研究所として開設された。同研究所はアジア地域で最大規模を誇るウイルスの保管施設であり、一五〇〇を超えるウイルス株を保管しているとされる。

二〇一八年一月以降、数回に及び在中国米大使館の専門家達が同研究所を視察した経緯がある。その際、専門家達はコウモリに由来するコロナウイルスに関する研究を行っていた実験室での衛生管理や安全対策が極めてずさんであるとする二通の公電を二〇一八年一月に国務省に通知していた[69]。「同研究所の科学者達との対話を通じ、高度安全実験室を安全に管理する上で必要とされる適切に訓練された技術者や調査官が極度に不足していることに気づかされた」と二〇一八年一月一九日に二人の米専門家達が記していた[70]。しかも第一の公電は特筆すべき内容であった。それによると、コウモリに由来するコロナウイルスがどのように人に感染するかに関する研究が行われているが、そうした研究は新型のSARSのようなパンデミックを引き起こしかねないリスクがあると警告する内容であった[71]。これこそ新型コロナウイルスのことを意味するのではないかという推論を生むことになった。しかも米国内で同ウイルスの爆発的感染拡大が続く中で、『ワシントン・ポスト紙』報道を契機としてこの可能性が急速に注目を集めだした。

『フォックス・ニュース』（四月一五日）

続いて、四月一五日に『フォックス・ニュース』は新型コロナウイルスの最初の感染は中国科学院武漢ウイルス研究所内で研究対象のコウモリに由来するウイルス株から何らかの事由で人間への感染が起こり、感染した人間が「〇号患者」となり、同患者が武漢市の人口密集地に入り、そこでウイルスを拡散させたのではないかとする報道を伝えた(72)。トランプ政権がその可能性について注視するという局面に至った。

トランプ、「われわれはこの恐ろしい状況を徹底的に調査している」（四月一七日）

トランプは四月一七日の記者会見の席上、中国科学院武漢ウイルス研究所から流出した可能性を重視し、徹底的な調査を行っていると言明した。トランプ曰く、「ますますこの話を聞くようになった。……われわれは生起したこの恐ろしい状況を徹底的に調査している」と述べた(73)。調査はまもなく提出され、それに基づきトランプは中国に対する対応を判断するとした。トランプの発言によりウイルスの発生源を巡る問題は一気に世界中が注視する問題に発展した感がある。これを境に、新型コロナウイルスの発生源を巡る問題は米中関係だけでなく世界中を揺さぶりかねない大問題に発展する可能性が出てきた。

トランプの記者会見に続き、ポンペオは「このウイルスが中国の武漢市で発生したことはわれわれが知るところであり、人々が最初にこの疾病に感染した華南水産卸売市場からほんの数マイルしか武漢ウイルス研究所は離れていない。中国政府はこのウイルスがどのように正確に拡大したか公表し説明する必要がある。中国政府は正直にならなければならない」と断言したのである。(74)

趙立堅、「ウイルスが実験室で生成されたことを示す証拠はない」（四月一七日）

これに対し中国当局は直ちに猛反駁した。一七日にこれまで何かと問題発言を行ってきた趙立堅は事実無根として猛然と反発した。趙立堅曰く、「ウイルスが実験室で生成されたことを示す証拠はないとＷＨＯが繰り返し述べていることを想起していただきたい。(75)」

また中国科学院武漢ウイルス研究所のコロナウイルス研究プロジェクト・リーダーである石正麗（シー・ジェンリー）は「新型コロナウイルスが実験室と何の関係もないことを私は命を懸けて約束する」とウイルスとの関連を断固否定した。(76)

10　モリソンの現地調査要求と中国の猛反発

モリソン、現地調査要求（二〇二〇年四月二三日）

この間の四月二三日に外部機関による現地調査の必要性をモリソン（Scott Morrison）オーストラリア首相は声高に訴えた。モリソンは五月開催のＷＨＯ年次総会で新型コロナウイルスの発生源に関する現地調査を実施する提案を行うことを明らかにした。[77] モリソンはこれまで疑惑視されてきた数々の箇所で調査が行われなければならないとしたが、現地調査の実施がよほど都合が悪いのか習近平指導部は猛反駁に転じた。

中国外務省、「イデオロギー的偏見と政治操作を止めなさい」（四月二三日）

これに中国外務省報道官の耿爽は即日、会見でモリソンに激しい口調で言いがかりを付けた。[78] モリソンが提唱した現地調査は実際には政治操作であり、ウイルスの予防と管理における国際協力を妨げる。感染の発生以来、中国は情報を共有し、公開性、透明性、責任ある方法で他国と協力し、ウイルスとの国際的闘いに重要な貢献を行い、国際社会から賞賛を得た。こうしたときに政治的な目的で他国を非難することは誠に無責任であり、正当化できない。イデオロギー的偏見と政治操作を止め、オーストラリア国民の福祉と世界中の人々の公衆衛生の安全に焦点を当てなければならないと、耿爽は高飛車にモリソンを諌めたのである。

これほど、習近平指導部が現地調査を拒む理由は何なのか、怪しくなる。現在までに確実な証拠となるものはあがっていないものの、発生源を取り囲む疑惑は灰色とは言え、限りなく黒に近いと言わざるをえない。世界から向けられている重大な疑惑を払拭しようとするならば、現地調査を許可する必要があろう。これに応じない限り、ますます疑惑は深まる一方であると言わざるをえない。

11　米情報機関の躊躇

米国家情報長官室、「ウイルスの発生に関する情報を引き続き厳格な精査を続ける」（二〇二〇年四月三〇日）

その後、四月三〇日に米国家情報長官室（ＯＤＮＩ）はそれまでの調査結果を公表した。[79]

それによると、「……情報機関は感染した動物との接触により感染が始まったか、あるいは武漢市の実験室での事故の結果によるものであったかどうかについて判断するためウイルスの発生に関する情報を引き続き厳格な精査を続ける」と結論づけた。この結論は同研究所をウイルスの発生源と睨んでいたトランプにとってみれば、満足には程遠いものであった。

トランプ、「そうだ、見た」（四月三〇日）

四月三〇日に米国家情報長官室による声明の数時間後、トランプの記者会見がホワイトハウスで行われた。新型コロナウイルスの発生源であると疑われる中国科学院武漢ウイルス研究所にまつわる疑惑を裏付ける結論が米国家情報長官室から提示されると期待したトランプは、そうした結論に至らなかったことに多少ならずとも落胆と失望感を隠せなかった。それでも中国科学院武漢ウイルス研究所について何らかの証拠を見たのかという記者の質問に対し、「そうだ、見た」と答えた。続いて、その理由を尋ねられたとき、トランプは「話すことはできない。話すことは許されていない」とお茶を濁した。(80) 続いて、中国に対する損害賠償について、トランプは米国が中国への債務返済を中止という方法はとらないとし、「関税を科すだけでより多くの資金を得ることができる」と言及し、中国に対する莫大な額の関税を科す可能性を示唆した(81)。

とは言え、トランプからみて期待していた決定的な証拠が提出されない中で、トランプも苛立ちも隠せないでいた。と言うのは、爆発的に増加している感染者数や死者数もさることながら、経済活動に与えた打撃も計り知れないものがある。数ヵ月前まで好調な経済を背景に確固たる支持を確保していたトランプにとって踏んだり蹴ったりと言えた。

トランプにとってみれば自分の責任というより、「春節」での膨大な数に上る旅行者の海外渡航にこれといった制限を課さなかった習近平とその習近平に一々忖度するかのように、「緊急事態」宣言やパンデミック宣言をテドロスが散々遅延させた結果、米国へのウイルス感染者の流入という形でこうした災難に直面するとは全く想定外であったと思われる。二〇二〇年一月下旬に一早く中国からの入国制限を発表した際には、してやったりという感がトランプにあったが、まさかヨーロッパ方面から感染が流入するという事態は想定できていなかったのであろう。ところが、その想定外のことが起きてしまった。また各世論調査でも二〇二〇年一一月三日の大統領選でのトランプの再選に黄色信号はおろか赤信号が点滅している感があった。ほとんどこれといった選挙活動を行っていないバイデン候補に強い追い風が吹くといった状況を生んだのである。

12　トランプの嘆き

トランプ、「わが国が経験したことのない最悪の攻撃をわれわれは経験している。」（二〇二〇年五月六日）

こうした中で苛ついたトランプは五月六日にホワイトハウスで記者団に本音とも言える言葉を吐いた。トランプ曰く、「わが国は経験したことのない最悪の攻撃をわれわれは経験している。これは最悪の攻撃である。真珠湾よりもひどい。世界貿易センターよりもひどい。このような攻撃は一度もない。決して起きるべきでなかった。発生源で止めることができなかったのか。中国で止めることができなかったのか。発生源で止めることができたはずである。しかしそうはならなかった。(82)」この発言には発生源で食い止めることができたはずなのに、何故、このようなことになったのかという、やり場のない怒りをトランプがぶつけたと受け取れる。またこの発言はこうした事態を招いた全責任は習近平指導部にあり、同指導部の責任を厳しく追及する姿勢をにじませたものであろう。

トランプ、中国との断交示唆（五月一四日）

五月一四日には中国に対するあらゆる選択肢も行使しうるとの対決姿勢をトランプはあらわにした。トランプは中国に非常に失望しているとし、「習近平氏とは会いたくない」と述べた。米国はどのような報復手段を選択するかという質問に対し、「すべての関係を断ち切ることもできる」と中国との断交もあることをトランプは示唆し、「すべての関係を断ち切ると、五〇〇〇億ドルを節約することになる」とトランプは力説した。(83)

エンバレク、「市場が感染拡大に関連していることは明らかである。」（五月八日）

この間、五月八日にWHOは華南水産卸売市場が新型コロナウイルスの発生源と深く関与しているとの見方を強調した。WHOのエンバレク（Peter Ben Embarek）は「市場が感染拡大に関連していることは明らかである。しかし市場が発生源だったのか、感染が拡大した場所だったのか、それともたまたま一部の症例が市場や周辺で確認されたのか、市場がどのように関係していたかは不明である」とエンバレクは語った。(84) この発言は重大性を持つ。同氏の発言の要点は同市場を発生源とみなす中国当局の立場と必ずしも同一でない。同市場が感染拡大と関連すると考えられないわけではないが、何らかの事由で外部から同ウイルスが市場に持ち込まれた可能性も視野に入れたものである。その上で、さらなる調査が必要であるとエンバレクは強調した。

13　居直る習近平

習近平、WHO年次総会演説（二〇二〇年五月一八日）

ところで、新型コロナウイルスの感染が拡大し始めて以降、習近平自身から中国の基本的立場がなかなか表明されなかった。その習近平が立場を表明したのは五月一八日に開幕した第七三回WHO年次総会であった。習近平は「私は失われたすべての命を悼み、遺族に哀悼の意を表する」と切り出した。[85] 続いて、「このウイルスは国境を問わない。……人種や国籍と無関係である」と語った。[86] 新型コロナウイルスに国境、人種、国籍は関係ないと強調することにより、ウイルスの発生源の問題から目を反らす一方、ウイルスが世界各地に拡大したのはやむを得なかったと言わんとした印象を与えた。「中国は懸命な努力と多大な犠牲を払い、ウイルスの拡大を阻止し中国国民の生命と健康を守った」と述べ、中国は同ウイルスの被害国であると各国に理解を求め、ウイルスの感染拡大の阻止に多大な貢献を行ったと習近平は自賛した[87]。

さらに「われわれは公開性、透明性、責任感に基づき行動した一方、WHOと関係国に最も適宜に情報を提供した」と習近平は力説した[88]。このことはウイルスの発生初期における初動対応の遅れ、その後に感染が爆発的に拡大する下で中国当局者達が国家ぐるみで行った情報統制、情報操作、はたまた隠蔽工作に向けられた厳しい批判に対し習近平が行った反論である。中国は「公開性、透明性、責任感」に基づき行動したと習近平は反論したが、果たしてそうであろうか。ウイルスの発生初期から感染拡大に至る時系列な大まかな進捗から浮かび上がるのは、「公開性、透明性、責任感」こそが習近平指導部に欠如していたのではないかと疑いたくなる。

テドロスが二〇二〇年一月二八日の習近平との北京での会談後、「ウイルスのデータおよび遺伝子配列の共有を含め、指導部が示した透明性をわれわれは感謝する」と習近平を称えたとおり、習近平指導部がWHOの求めに応じ最小限の情報の開示を行ったことは事実であろう[89]。

他方、二〇一九年一二月三〇日にウイルス感染拡大のリスクをSNSで周知させようとした武漢市中心医院の李文亮医師を武漢市公安局が摘発したのも事実である。[90]

二〇二〇年一月一四日に馬暁偉中国国家衛生健康委員会主任がウイルスの感染拡大が深刻な脅威をもたらすとの認識を示したにもかかわらず、中国保健当局が公式に発表したのは一月二〇日であった。[91] この結果、ウイルスへの対応を六日間も放置してしまった。この間、武漢市で三〇〇〇人以上に上る感染者が出ただけでなく、多数の人が武漢市を脱出し他の地域だけでなく外国へ向かった。この決定的とされる六日間も感染の発表を行うことなく感染拡大を隠蔽したのも事実である。

事態が切迫したと認識した習近平が一月二一日にテドロスに電話を直接入れ、「ウイルスが人から人へ感染することとの情報を差し控え、パンデミックの警告を延期するよう求めた」とするドイツ連邦情報局の情報が『シュピーゲル紙』によって後日、報道された。[92] 他方、「WHOが新型コロナウイルスに関する緊急事態を宣言すれば、中国はWHOのコロナウイルス調査への協力をやめると脅した」と、中国当局がWHOに圧力をかけたとみるCIA報告を伝えた『ニューズウィーク紙』報道もある。[93] これらの報道の真偽は未だに不明であるが、一月二三日に習近平指導部が武漢市を封鎖した一方、一月二四日から始まる「春節」時に膨大な数の中国人旅行者の海外渡航にこれといった制限をかさなかったのは事実であり、これが世界各地へ感染をまき散らす決定的な契機となったことに疑問の余地はない。これでも習近平は「公開性、透明性、責任感」に基づき行動したと言えるであろうか。

さらに四月中旬に中国科学院武漢ウイルス研究所から武漢市の人口密集地にウイルスが流出した可能性があるとする『ワシントン・ポスト紙』の報道を受け、トランプが米情報機関に調査を指示すると、これを裏付ける決定的な証拠が米情報機関から提示されていないものの、ウイルスが同研究所から流出した可能性が高いとみられている。(94) 衛生管理や安全対策が極めてずさんであると以前から指摘されていた実験室を備えた中国科学院武漢ウイルス研究所が武漢市に所在すること自体、同研究所がウイルスの発生源でないかと疑惑視されるのは極めて自然なことであろう。

こうした疑惑を払拭したいと習近平が真摯に考えるのであれば、外部機関による現地調査を行うことを認めるしか方策はないであろう。後述のとおり、実際にＷＨＯ年次総会において現地調査の実施が決議され、二〇二〇年七月中旬にＷＨＯチームが派遣された。しかし武漢市から遠く離れた北京市で二人のＷＨＯチームが名ばかりの現地調査しか許可されなかった。これではウイルス感染による甚大な災害に苛まれている各国を納得させることは到底できないであろう。

この間、情報統制、情報操作、隠蔽工作など、ありとあらゆる画策を中国当局者達が行ってきたと疑われても仕方がない。しかも外部世界が知りえるのは中国がこれまで国家ぐるみで行ってきた画策の一部であり、新型コロナウイルスを巡る全容からすれば「氷山の一角」にすぎないであろう。

ところで習近平の演説に戻すと、「テドロス博士の指導の下でＷＨＯは新型コロナウイルスへの世界的対応を先導し前進させる上で大きな貢献を行った」とし、「ＷＨＯは世界的対応を主導すべきである」と、習近平にしばしば忖度してきたと批判されるテドロスを持ち上げ、今後もＷＨＯがウイルスとの闘いを主導しなければならないと習近平は力説した(95)。

要するに、中国は新型コロナウイルスによる未曾有の感染症と闘い、中国国民の生命と健康を守ると共に、同ウイルスの各国への拡大の阻止に寄与したと習近平は自賛したかったのであろう。他方、各国に甚大な感染症の災害を招いた責任について習近平は一言も触れなかったし、謝罪の一言もなかった。コロナ禍を引き起こした国家の最高指導者が謝罪するどころか、世界に向けて公然と自画自賛したのは常軌を逸した話にしか聞こえなかった。

14　習近平の強弁と猛反駁するトランプ

WHOチームによる現地調査（二〇二〇年七月中旬）

米情報機関による調査を通じ発生源を特定できないことを踏まえると、外部機関による現地調査が不可欠となろう。現地調査の必要性が四月二三日にモリソンに指摘されると、習近平指導部は案の定、猛反駁した。とは言え、五月一八日、一九日に開催されたWHO年次総会で現地調査を要求する決議が採択され、中国での調査の実施が確実となった。[96] 決議はウイルスに対する国際的対応として「公平、独立、包括的評価」を要請し、「ウイルスの発生源と人口密集地への導入経路」についてWHOに現地調査を行うよう求めるとした。[97]

これに応じ、七月中旬にWHOは二名の専門家を国際調査団の先遣隊として中国に派遣した。とは言え、先遣隊が調査についてどのような権限を有しているのか不明であった。確かであったのは二週間で任務を終了することであった。[98] 案の定、先遣隊は北京に留まっただけで問題の市場や二つの研究所に立ち入ることができなかった。

テドロスは今後、多数の専門家の派遣をＷＨＯは準備していることを明らかにした[99]。今後、調査団が武漢市に派遣されるとテドロスが述べたものの、詳細はＷＨＯと中国の間で協議されるとし、日程は未定のままであった。こうしたことから、習近平に阿るテドロスとＷＨＯが決議に従いはたして現地調査を行う意思が本当にあるのかどうか懐疑的な目が向けられざるを得ない。習近平とテドロスの誠に不透明かつ不自然な関係に照らすと、現地調査という名の下で体裁を繕っているとしか思えてならない。これでは、発生源を巡る真相はうやむやになるのではないかと推察せざるをえなかった。

習近平、第七五回国連総会一般討論演説（九月二二日）

続いて、習近平は九月二二日の第七五回国連総会一般討論演説において中国の立場を改めて示した。習近平は「われわれは科学に基づく指針に従い、ＷＨＯが主導的役割を十分に担い、このパンデミックに打ち勝つために連携した国際的対応が必要である」と切り出した[100]。習近平に限らず中国当局者達にとって「科学」とは誠に都合の良い魔法の言葉のようである。ウイルスの発生源の議論に及ぶと、憶測や推測ではなく科学の問題であると決まって反論する。しかし科学的に立証するためには発生源でないかと疑惑視される研究所において外部機関による現地調査を実施する必要となろう。「連携した国際的対応が必要である」と実際に習近平が言うのであれば、WHO調査団によるウイルス研究所の現地調査を受け入れなければならないはずが、決して応じようとはしていない。これでは甚だしい言行不一致と言わざるを得ない。

続いて、「問題を政治化したり汚名を着せたりする試みは避けられなければならない」と習近平は論じた。[101] コロナ禍を巡る中国に対する各国の痛烈な非難は「問題を政治化し汚名を着せたり」しているように習近平指導部の目に映るのであろうか。しかし未曾有の感染症を引き起こし、各国に甚大な損害を与えていることに謝罪の一言もないことから、批判され追及されるのでなかろうか。

「新型コロナウイルスは、われわれが共通の利害関係を持つ相互につながったグローバル化した共同体に存していることを想起させる」と習近平は語ったが、このことはグローバル化した世界ではウイルスの拡散は多かれ少なかれ不可避であったとの自己弁護のように聞こえる。[102] しかしウイルス発生が確認された当初に初動対応が的確に行われていたのであれば、発生源である武漢市で、あるいは湖北省で、少なくとも中国内で感染拡大は封じ込められたはずである。莫大な数の旅行者の海外渡航が招きかねない感染拡大のリスクに対しあまりに無頓着であったことが未曽有のパンデミックを引き起こしたのである。この点はトランプによって幾度となく指摘されてきた点である。

「他国を締め出すためにブロックを構築する試みを拒否し、ゼロ・サムアプローチに反対する必要がある」と習近平は力説した。[103] このことはトランプ政権が中国通信機器企業のファーウェイなどを市場からの締め出そうとしている動きを非難しているのであろう。しかしポンペオ国務長官が二〇二〇年七月二三日に行った演説で、これまで中国は実に巧妙に自由主義世界に入り込み先端ＩＴ技術の機密や技術を盗み出してきたと指弾した。[104] そうした認識の下で、中国が長年にわたり行ってきたこうした行為をトランプ政権はもはや看過できないとしてファーウェイなどの締出しを行った。

「われわれはお互いを同じ大家族の一員と見なし、双方に利益をもたらす協力を追求し、イデオロギー論争を乗り越え、「文明の衝突」の罠に陥らないようにしなければならない」と習近平は訴えた。[105] 習近平指導部は二〇一二年に「中国の夢」として「中華民族の偉大なる復興」を掲げ、二〇四九年までに世界大国を実現するという遠大な国家戦略に向け、がむしゃらに突き進んでいる感がある。これに対し、そうした中国の動きを既存の国際秩序を切り崩す行動であると捉え、トランプ政権は対中高額関税に代表される対抗措置を講じてきた結果、米中対立が激しさを増したのであり、このことは「文明の衝突」と何の関係もないことである。

さらに習近平は「われわれは覇権、膨張、勢力圏を決して求めない。冷戦や熱戦をどの国とも戦うつもりはない」と力説した。(106)「覇権、膨張、勢力圏を決して求めない」と習近平は言うが、同指導部が追い求めているのはまさしく「覇権、膨張、勢力圏」そのものでないのか疑問に思えてならない。中国による南シナ海ほぼ全域への領有の主張、とりわけ南沙諸島の「軍事拠点化」に向けた動き、香港の自治の事実上の剥奪、台湾を独立勢力と決めつけ軍事併合も辞さずと軍事圧力をかける様、わが国の尖閣諸島周辺海域への中国海警局船舶による頻繁な侵入と同諸島への実効支配の機会を窺う様、さらに自らの勢力圏の建設に向け「一帯一路」構想を猛進させる様など、「覇権、膨張、勢力圏」の追求以外のなにものでもない。また「冷戦や熱戦をどの国とも戦うつもりはない」と習近平は強調した。しかし各国がコロナ対策に追われている最中、習近平指導部によるこうした露骨かつ横暴な動きに拍車が掛かっている感がある。そうした動きに対し、中国の近隣諸国だけでなく米国は警戒心を強めている。中国による脅威の増大を前にして各国が自国の安全確保のために対抗策を講ずるのは当然のことである。このようにみると、冷戦の方向に向かいかねない根本的な原因を作っているのは習近平指導部でないかと疑いたくなる。

習近平は五月一八日のWHO年次総会に続き、九月二二日の国連総会一般討論演説においてもウイルス感染拡大を巡る責任の所在をうやむやにし、未曾有の災禍を招いたことに対する一言の謝罪も行わなかった。国際社会のあるべき未来について習近平は論じたつもりであったかもしれないが、響きの良い言葉を並べただけである。しかも演説の中で習近平が持ち出した論点の一つ一つが事実に相反しているのではないか疑いたくなる。要するに、習近平の演説は責任回避に終始しただけでなく、詭弁と強弁の域を出ていないと言わざるを得ないのである。

トランプ、第七五回国連総会一般討論演説（九月二二日）

こうした習近平の主張に対し、トランプは改めてその責任を追及する姿勢を明確にした。トランプは「第二次世界大戦の終結と国連の創設から七五年が経ち、われわれは再び世界的な闘いに取り組んでいる。見えない敵である「中国ウイルス」との激しい闘いである」と切り出した。(107) 続いて、「われわれは世界にこの疫病をばらまいた国の責任を問わなければ

ばならない。中国である」とし、中国の責任を厳しく追及すると言明した。(108)

「ウイルス感染拡大初期において、中国は国内での人の移動を禁じた一方、外国への渡航を放置し世界への感染拡大を招いた」とトランプは語った。(109) このことは、習近平指導部が武漢市の封鎖を行った一方、「春節」での膨大な数に上る旅行者の海外渡航を何ら制限しなかったことにより、感染が一気に世界各地に拡散したとトランプは強調したかったと考えられる。しかもWHOが一月三〇日に行った「緊急事態」宣言を受け、中国からの入国制限をトランプが発表すると、これを習近平指導部が批判したことをトランプは糾弾した。

加えて、トランプは習近平に阿るテドロス率いるWHOも重大な間違いを犯したと痛烈に批判した。トランプ曰く、「中国政府と中国に事実上、操られているWHOはヒトからヒトへの感染の証拠はないという誤った宣言を行った。その後も、彼らは無症状感染者からの感染は起こらないという誤った情報を出した。(110)」その上で「国連は中国の行動の責任を問わなければならない」と、トランプは断じたのである。(111)

15　ＷＨＯの武漢現地調査と深まる疑惑（二〇二一年一月〜二月）

その後、二〇二一年一月から二月にかけて実施されたＷＨＯ調査団による武漢市での現地調査は中国側の都合から大きな制約を受けた一方、思いがけない発見につながったとも言える。[112] これは必ずしも事前に予想されたものではなかった。

これまでの経緯について概説すると、中国当局は武漢市で新型コロナウイルスの感染が拡大し始めた当初から同市の華南水産卸売市場がウイルスの発生源であると決めてかかっていた。二〇二〇年一月二七日に中国疾病予防管理センターは「二〇一九年新型コロナウイルスの感染状況とリスク評価」と題する報告書を発表した。[113] それによると、新型コロナウイルスは野生動物に由来する可能性が高い。感染経路について、二〇一九年一二月初めに同市場において野生動物からウイルスが漏洩し、それが市場を汚染し、続いて人に感染し、最終的に人から人への感染を起こしたのではないかと推論した。

しかし、これを裏付ける確実な証拠と言うべきものが提示されたわけではない。二〇二〇年一月九日に中国当局は新型コロナウイルスのゲノム情報を開示した。[114] これにより、新型コロナウイルスがＳＡＲＳコロナウイルス（SARS-CoV）と極めて類似していることが明らかになった。これまでの研究により、ＳＡＲＳの保有宿主はキクガシラコウモリであると推察された。こうしたことから、新型コロナウイルスを運んだ保有宿主もキクガシラコウモリではないかと疑われたが、同市場で売買されていなかった。

こうしたこともあり、同市場が感染拡大に重要な関りを持つとしても、市場が発生源であると特定できなかった。ＷＨＯのエンバレクは二〇二〇年五月八日の時点で、同市場が感染拡大にとって重要であるが市場が発生源であるかどうか不明であると発言していた[115]。

この間、新型コロナウイルスの発生源としてにわかに疑惑視されたのは武漢市にある二つのウイルス関連研究所であった。一つは同市場に近接した武漢市疾病予防管理センターであった。もう一つは、武漢市郊外に位置する中国科学院武漢ウイルス研究所であった。いずれもＳＡＲＳコロナウイルスの研究を行っており、多数のコウモリを保有していた。武漢市がウイルスの発生源であり、その武漢市にＳＡＲＳコロナウイルス研究を行っている研究所が二つもあり、しかもいずれの研究所もキクガシラコウモリを保有していたことから、これらの二つのウイルス研究所が新型コロナウイルスの発生源として疑われるのは当然と言えた。

前者の研究所の可能性は広東省の華南理工大学の肖波涛教授らによって指摘された。[116] 武漢市疾病予防管理センターは同市場から至近距離に所在する。同センターの研究員はコウモリの血液や尿が皮膚に付着したという経験があったという。感染のリスクを恐れた研究員は自主的に隔離措置を講じたとされる。こうしたことから、同ウイルスが何らかの原因で同センターから外部に流出し、人に感染した可能性があると、肖波涛は推論した。

トランプ政権は後者の中国科学院武漢ウイルス研究所の可能性を疑った。事の発端となったのは『ワシントン・ポスト紙』の二〇二〇年四月一四日の報道であった。[117] それによると、二〇一八年一月に在中国米大使館の専門家達が中国科学院武漢ウイルス研究所を訪問した。その際、専門家達はコロナウイルスに関する研究を行っていた武漢ウイルス研究所内の高度安全実験室での衛生管理や安全対策が極めてずさんであるとする公電を二〇一八年一月に国務省に通知していた。しかもコロナウイルスがどのように人に感染するかについて研究が行われているが、この種の研究は新型のＳＡＲＳのようなウイルス感染拡大を招きかねないと警告した。言葉を変えると、こうした研究が新型コロナウイルスを生み出したのではないか疑わせるものであった。

トランプ政権はこの可能性に飛びついたが、米国家情報長官室は四月三〇日に、「情報機関は感染した動物との接触により感染が始まったか、あるいは武漢市の実験室での事故の結果によるものであったかどうかについて判断するためウイルスの発生に関する情報を引き続き厳格な精査を続ける」と、焦点を多少ぼかした結論を示した[118]。

共同調査（二〇二一年一月〜二月）

ところで、共同調査団は一七人のＷＨＯ専門家と一七人の中国専門家から編成された。ＷＨＯ調査団の武漢市での現地調査の主たる目的は新型コロナウイルスの発生源はどこなのか特定することであった。とは言え、現地調査でこれといった発見には至らなかった。現地調査が中国側の協力を得て行われたこともあり、調査は終始中国側の都合に従い進んだと言える。実際に中国側の協力なしには調査が進まないことを踏まえ、中国側のご機嫌をうかがうかのようにＷＨＯ調査団は行動せざるをえなかった。一月一四日に武漢市に到着したＷＨＯ調査団は二週間の隔離を経て、その後現地調査に移った。この結果、現地調査が実施できたのは二週間程度であった。中国側の狙いはウイルスの発生源でないかと疑われている武漢市での現地調査に正々堂々と応じることで、これまで外部世界から向けられてきた厳しい批判を払拭することであった。疑惑は晴れたとの印象を中国側は与えたかったのであろうが、実際はどうであったか。

ＷＨＯ調査団が二〇二一年一月三一日に問題の華南水産卸売市場での調査を実施したが、武漢市で同ウイルスの感染拡大が始まったとされた二〇一九年一二月から一年一ヵ月以上も経過していた。同市場はそれまでに徹底的に消毒が施されており、当時の面影を留めていたわけでない。しかも市場での調査は一時間あまりに制限された。これでは市場での実質的な調査が進むはずもなかった。

またＷＨＯ調査団が中国科学院武漢ウイルス研究所に滞在できたのは四時間程度であった。ＷＨＯ調査団はコロナウイルス研究プロジェクト・リーダーである石正麗と会談したとは言え、同研究所で実質的な調査は何も行われなかったと言える。

現地調査日程には新型コロナウイルスへの勝利を誇示する展覧会場への訪問も組み込まれた。展覧会の視察はウイルスの発生源の特定とどう考えても関係のないものであり、貴重な時間の浪費となった。

共同記者会見（二月九日）

二月九日にＷＨＯ調査団と中国調査団の共同記者会見が行われた。(119) 共同記者会見も中国調査団の思惑通りに進み、ＷＨＯ調査団は控えめな発言に終始した。中国調査団長の梁万年（リァング・ワンニャン）氏は新型コロナウイルスを運んだとされる保有宿主は特定できていないと強調した。また梁万年は二〇一九年一二月以前に武漢市で同ウイルスに起因する感染が拡大していたとは言えないと力説した。ところが後述のとおり、ＷＨＯのエンバレク氏は一二月以前に同ウイルスの感染が武漢市で拡大していた可能性が高いと、数日後、スイスでの記者会見で異論を唱えることになる。

さらに梁万年は同ウイルスの発生源が中国国外であるという可能性を一方的に強調した。同氏は外国から輸入された冷凍食品からウイルス感染が起きた可能性があると主張した。[120]要するに、ウイルスの発生源は中国とは限らないと、同氏は論じたかったのである。ウイルスが外部から中国に持ち込まれた可能性を同氏が示唆したが、この種の主張は以前からの中国当局の常套手段であった。二〇二〇年三月一二日に中国外務省報道官が武漢市に米軍兵士達がウイルスを持ち込んだ可能性があるとするフェイク・ニュースを流して、トランプ政権の怒りと憤りを買ったことに端を発して、その後事あるたびに発生源は武漢市や中国とは限らないと、中国当局者や中国専門家達が吹聴してきた。他方、ＷＨＯ調査団は中国科学院武漢ウイルス研究所に纏わる疑惑の可能性を婉曲に排除した。このように、発生源の解明と言う意味では主だった前進はなかった。しかもウイルスを運んだとされる保有宿主の特定についても進捗があったわけではなかった。

他方、中国側はＷＨＯ調査団に最小限の情報の提供を行った。その中に極めて重要と思われる内容が含まれていたが、これに中国側は気づいていなかったようである。

エンバレク、「このウイルスは一二月に武漢で広く出回っていた」（二月一五日）

ＷＨＯ調査団がスイスに戻ってから、エンバレクＷＨＯ調査団長は少なからず衝撃的な発言を行った。[121] 二月一五日にエンバレクがＣＮＮとのインタビューで明らかにした発言は習近平指導部にとって聞き捨てならない内容を含んでいたと言える。

エンバレクは、これまで初の感染者が出たとされる二〇一九年一二月よりかなり前の時点で武漢市でウイルスの感染が拡大していた可能性があると明言した。しかも中国当局の当時の発表とは比較できない程、ウイルスの感染拡大規模は広範囲に及んでいただろうと、同氏は推察した。

同氏によると、ＷＨＯ調査団は二〇一九年一二月の時点で見つかったとされた一七四の症例を調査した。この内一〇〇の症例は検査を通じ感染が見つかった一方、七四の症例は患者の症状から感染が確認された。これらの一七四人が重症であったと推察されることを踏まえると、一二月の時点で武漢市での感染者数はおそらく一〇〇〇人を上回っていたであろうと、エンバレクは推察した[122]。またエンバレクは一二月の時点で存在していた新型コロナウイルスの一三の異なる遺伝子配列を確認したと述べた[123]。この結果、中国側が言うところの一二月に初の感染者が武漢市で確認されたとされるはるか前の時点で、ウイルスは同市で拡大していたのではないかという疑問が表出したのである。

上述のとおり、二〇二一年二月九日の共同記者会見で梁万年が二〇一九年一二月以前に武漢市で同ウイルスが拡大していた証拠はないと力説したのに対し、エンバレクは一二月以前に拡散していた可能性が高いとCNNとのインタビューで述べたことにより、WHO調査団長と中国調査団長の見解が真っ向から食い違うことが明らかになった。中国側がかねがね論じてきた一二月に初の感染者が出たという主張はつじつまが合わなくなる。エンバレク曰く、「このウイルスは一二月に武漢で広く出回っていた。これは新しい発見である[124]。」

この結果、これまでの中国側の主張が立脚してきた根拠が揺らぎかねない。これまでも二〇一九年一二月以前に武漢市でウイルスの感染は拡大していたのではないかと一部の専門家達から疑問視されてきた。一二月の時点でウイルスが武漢市で蔓延していたわけでないとしても、エンバレクが推察するように一〇〇〇人以上の感染者が出ていたとすれば、中国当局はこの感染拡大を隠蔽していたのであろうか。しかも一二月以前にウイルスが武漢市で拡大していたとすれば、最初の感染者が出たのはいつ頃なのか。謎は深まった。

16 信用と信頼を損ねた「ＷＨＯ報告書」（二〇二一年三月三〇日）

こうした中で、ＷＨＯは二〇二一年一月と二月に武漢市で実施した現地調査に関する「ＷＨＯ報告書」を二〇二一年三月三〇日に公表した。[125] 全体で一二〇頁もある報告書であるが、その結論は極めて簡素であった。それによると、「共同国際チームは感染を引き起こした四つの主要なシナリオを検討し議論した」とし、以下の四つの可能性を指摘した。

・動物からヒトへの直接感染、
・中間宿主を介したヒトへの感染、
・輸入冷凍食品を通じた感染、
・中国科学院武漢ウイルス研究所の実験室での事故による感染。

同報告書はまもなく日米を含む一四ヵ国による共同声明という形で痛烈な批判に曝されることになった一方、テドロスＷＨＯ事務局長は同報告書をあくまで擁護した。

「ＷＨＯ報告書」を擁護するテドロス（二〇二一年三月三〇日）

テドロスも新型コロナウイルスの感染拡大は二〇一九年一二月以前に始まったことを認めた。テドロスによると、「ＷＨＯ報告書は二〇一九年一二月、あるいはおそらくそれ以前にウイルスがすでに拡大していたことを示唆している。[126]」続いてテドロスはＷＨＯ調査団が中国側から十分な生データの提出を受けていないことを踏まえ、その提供を中国側に要望した。同氏によると、「ＷＨＯ調査団は生データに十分にアクセスできなかったと表明した。今後の共同研究ではより適宜で包括的なデータが共有されることを期待する。」このように、中国側が追加の血液サンプルや検体の提供をＷＨＯ調査団に十分に提供したとは言えない趣旨のことをテドロスは述べた。

ところが、肝心のウイルスの発生源に至り、同氏の発言は歯切れが突然悪くなった。ウイルスの発生源についてテドロスは華南水産卸売市場がどのような役割を果たしたのか不明であると曖昧な表現でお茶を濁した。同氏によると、「市場の役割は依然として不明である。調査団は武漢市の華南市場で新型コロナウイルスによる広範囲の汚染が確認されたが、この汚染の原因を特定できなかった。」続いて、テドロスは外国から輸入された冷凍食品に付着しウイルスが中国に持ち込まれた可能性について曖昧な表現で言及した。テドロスによると、「調査団はウイルスが輸入食品を通じ人間に感染した可能性についても議論した。」他方、テドロスは武漢市のウイルス研究所が発生源である可能性は極めて低いとその可能性を婉曲に否定した。同氏によると、「調査団は武漢市の幾つかの研究所を訪問し、研究所での事故の結果としてウイルスが人口密集地に侵入した可能性を検討した。しかし、私はこの評価が十分であったとは思わない。……調査団は実験室から漏洩したという仮説が極めて可能性の低い仮説であると結論付けたが、これにはさらなる調査が必要であり、私は専門家を派遣する準備ができている。」

「WHO報告書」を痛烈に批判する共同声明（三月三〇日）

これに対し、まもなく日米を含む一四ヵ国は「ＷＨＯ報告書」を厳しく批判する内容の共同声明を発出した[127]。共同声明の文言は一見穏やかでオブラートに包まれた感があるが、その指摘には誠に厳しいものがあった。

共同声明は武漢市でのＷＨＯの現地調査が透明性と独立性を欠如したと指摘し、中国側による干渉を受け調査が十分に行われなかったことを暗に批判した。共同声明によると、「新型コロナウイルスの発生源についてわれわれは干渉や過度の影響のない、透明性と独立性を備えた分析と評価を支持する。この点で、われわれは中国での最近のＷＨＯ調査に対し共通の懸念を表明する。」続いて共同声明は追加の血液のデータや検体の提供を中国側が拒んだ結果、ＷＨＯ調査団が十分な調査を行うに至らなかったと論じた。共同声明によると、「ウイルスの発生源に関する国際的な専門家による研究が大幅に遅れ、完全な元データとサンプルの提供を受けていないことへ共通の懸念を表明する。」今後、中国側からの干渉を受けない形でＷＨＯが独立した追加調査を行う必要があると共同声明は強調した。共同声明によると、「われわれは、……専門家主導の第二段階調査の実施を推奨する。」

以上の通り、一四ヵ国が厳しい内容の共同声明を発出したが、それでは「ＷＨＯ報告書」がここまで批判される事由はどこに求められるであろうか。本来、二〇二〇年五月一八日、一九日に開催されたＷＨＯ年次総会で現地調査を要求する決議が採択され、中国での調査の実施が決まった。ところが、二〇二一年一月と二月に武漢市で行われた調査は

ＷＨＯと中国との共同調査という形がとられた。中国側からの協力がなければＷＨＯの現地調査が進捗しなかったとは言え、共同調査という形は踏襲されるべきでなかった。これが躓きの始まりであった。

共同調査の専門家はＷＨＯ調査団が一七名、中国調査団が一七名から編成された。調査内容、調査日程などを決めるうえでも中国側に主導権が握られた。その結果、実際の調査において中国側の都合でＷＨＯ調査団は大幅な制限を受けざるをえなくなった。

しかも「ＷＨＯ報告書」がＷＨＯ調査団と中国調査団による共同執筆という形になった。この結果、以下に論じるとおり、調査結果が少なからず偏向することになった。報告書が共同執筆になったことは習近平の意向を忖度してきたと批判されてきたテドロスの意向が働いたのでなかろうか。

この結果、同報告書はウイルスの発生源という最重要要点を少なからず歪ませることにつながった。しかも同報告書には誠に不適切な記述もみられた。既述のとおり、新型コロナウイルスが何と、中国に輸入された冷凍食品に付着して持ち込まれた可能性があると言及した。この種の主張は以前から中国の専門家達が事あるたびに持ち出した主張である。奇想天外な仮説を「ＷＨＯ報告書」が取り入れ、上記の通り、テドロスがその可能性を言及したことは同報告書の信用と信頼を著しく毀損することになった。中国側の主張にテドロスが一枚加わったとみられても仕方がないであろう。

他方、「ＷＨＯ報告書」は中国科学院武漢ウイルス研究所から何らかの原因でウイルスが流出した可能性は極めて低いと指摘した。習近平指導部がこの可能性を意地でも認めたくないのは当然であり、同報告書がこうした言及を行ったのは同指導部の意向を尊重した結果であったと言えよう。それにしても「ＷＨＯ報告書」がこうした記述を行ったことは国連の専門機関としてのＷＨＯの信頼と信用が疑われると言っても過言ではない。

新型コロナウイルスの感染者は二〇一九年一二月に武漢市で初めて確認される以前に、拡大していた可能性が高いことは明らかであろう。テドロスもこの可能性を認めた。習近平指導部はこれまでの疑惑を払拭すべく追加的な血液サンプルや検体などの生データをＷＨＯに速やかに提供する必要がある。そうでないかぎり、同指導部への疑心暗鬼はいつまで経っても払拭されないであろう。加えて、武漢市での独立したＷＨＯの再調査が必要であることが多方面から指摘されている。テドロスも調査の再開について言及したが、テドロスが今後のＷＨＯ調査に向けて中国側を説得できるであろうか。

いずれにしても、この種の「ＷＨＯ報告書」が刊行されたことはＷＨＯの信用と信頼を少なからず傷つけかねない。今も世界各地で猛威を振っているウイルスの発生源に関する「WHO報告書」に各国がはたして納得するかどうかWHOは真摯に考える必要があろう。WHOは習近平指導部に追加のデータや検体の提出を求めるだけでなく、独自調査を行い自らの機関の信頼の回復に努める必要があろう。それでなくとも、ウイルスの感染拡大当初から習近平に阿るかのようなテドロスの姿勢に批判がしばしば向けられてきただけに、そうした批判を払拭し信頼を回復するために何が必要かテドロスは真摯に考えるべきである。

この間、トランプ政権で米疾病対策センター所長を務めたレッドフィールド氏は二〇二一年三月二六日にCNNとのインタビューの中で重大な問題提起を行った[128]。レッドフィールドはウイルスの発生源は中国科学院武漢ウイルス研究所である可能性が高いとし、必ずしも意図的ではないが同研究所から流出したのではないかと語った。また同氏は感染拡大が始まった時期について、二〇一九年九月、一〇月頃であった思うと述べたのである。

17　改めて疑惑視される中国科学院武漢ウイルス研究所

情報機関に発生源の特定を求めるバイデン（二〇二一年五月二六日）

その後、バイデン大統領が新型コロナウイルスの発生源を特定すべく米情報機関に対し九〇日以内に報告を行うよう五月二六日に要請した。[129] ここにきて少なからずの専門家がウイルスの発生源は中国科学院武漢ウイルス研究所でないかと疑念を抱いている。バイデン政権によって発表されるであろう報告の内容如何では、米中関係だけにとどまらず世界全体を揺さぶりかねない可能性があると推察された。

そもそも同研究所がウイルスの発生源でないかと疑惑視されている背景には、幾つかの事由がある。武漢市で二〇一九年一二月に初の新型コロナウイルスの感染者が確認されたとされたが、その武漢市にはアジア地域を代表する最大規模のウイルス研究所である中国科学院武漢ウイルス研究所が所在する。しかも同研究所はＢＳＬ－４（バイオセーフティーレベル－４）とされる高度安全実験室を備えている。ところが、二〇一八年一月に同研究所を視察した在中国米大使館の専門家達は警鐘を鳴らす公電を米国務省に発信していた。それによると、高度安全実験室でＳＡＲＳコロナウイルスの研究が行われていたが、同実験室での衛生管理や安全対策が極めてずさんであり、将来、ＳＡＲＳと類似したウイルスに起因する感染症を引き起こすのではないか懸念されるという趣旨であった。こうした下で、二〇一九年一二月に新型コロナウイルスの感染拡大が起きたとされる。こうしたことから、同実験室で何らかの事故が起き、これを発端としてウイルスの感染拡大につながったのではないかと推測するのは極めて自然の流れであろう。

この可能性を真っ先に疑ったのはトランプ政権であった。トランプ前大統領は二〇二〇年四月中旬に米国家情報長官室（ＯＤＮＩ）に対し発生源に関する調査を指示した。これを受け、四月三〇日にＯＤＮＩは感染した動物との接触により感染が始まったか、あるいは武漢市の実験室での事故の結果によるものであったかどうかについて判断するため精査を続けるとする暫定的な報告を行った。この報告は研究所を発生源と睨んでいたトランプにとってみれば、中途半端で納得できるものではなかった。

この結果、「研究施設の事故説」は一旦、宙に浮く形となった。その後、二〇二一年一月から二月にかけてＷＨＯ調査団が中国調査団と共同調査という形で武漢市で実施した現地調査に基づく「ＷＨＯ報告書」が三月三〇日に公刊された。既述のとおり、「ＷＨＯ報告書」は発生源について四つの可能性に言及した。

この中で、同報告書は実験室での事故による感染の可能性は極めて低いと考えられる一方、輸入冷凍食品を通じた感染はありうると論じた。これに対し、即日、日米を始めとする一四ヵ国は同報告書を猛烈に批判する内容の共同声明を発表した経緯がある。この結果、「研究施設の事故説」の可能性は拭い去れないとの疑念を生むことになった。

しかもここにきてそうした疑念をさらに深めかねない情報が流布された。それによると、武漢市でウイルスの感染拡大が始まったとされた二〇一九年一二月直前の一一月に問題の研究所の三名の職員が緊急入院したという情報を米情報当局が掴んだとされる[130]。これが「研究施設の事故説」の可能性に拍車をかけることになったことは言うまでもない。この情報機関の情報をバイデン大統領は殊の外、重視した。

この間、米情報機関の一部は「動物との接触説」を唱えている一方、他の機関は「研究施設の事故説」を主張しており、統一的な結論に至っていないとバイデンは語った。五月二六日にバイデンがウイルスの発生源の調査を急ぐよう情報機関に指示したのは、こうした経緯を踏まえてのことである[131]。

これに対し、直ちに習近平指導部は猛然と反駁した。趙立堅中国外務省報道官は五月二七日に、ウイルスの発生源を政治化しようとする米国の目論見を拒絶するとし、WHOの専門家達が「研究所からの流出説」の可能性は極めて低いとすでに結論づけていると断言した[132]。

こうした習近平指導部の強弁に激高したのが以前から「研究所の事故説」を持論としてきたトランプであった。六月五日にトランプは新型コロナウイルスを巡る中国による誤った対応に対する賠償金として一〇兆ドルを米国と各国に対し支払うよう中国に要求し、あらゆる国々が中国に対するすべての債務を放棄すべきであると断じたのである。(133)

この間、様々な憶測や推測が駆け巡っている。専門家の中には新型コロナウイルスが中国科学院武漢ウイルス研究所で人工的に製造されたのではないと疑問視する見方もある。(134)また長年にわたり米国立アレルギー・感染症研究所（NIAID）所長を務めてきたファウチ（Anthony Fauci）氏は武漢ウイルス研究所からのウイルス流出説に否定的であり、トランプ政権時代にトランプとしばしば対立したが、そのファウチが所長を務めるNIAIDがこれまで武漢ウイルス研究所に資金援助を行ってきたことが表ざたとなり、米国内で猛烈な批判に曝されている。(135)さらに中国情報機関の高官が新型コロナウイルスに纏わる武漢ウイルス研究所の機密情報を携えて米国に亡命したとの情報も流布されている。(136)同研究所に疑惑の目が集中し出すと、前述の趙立堅は同研究所にノーベル賞を授与すべきであると反駁したのである。(137)

テドロスの心変わり（七月一五日）

こうした状況の下で、これまで事あるたびに中国寄りと思われる発言を続けてきた感のあるテドロスＷＨＯ事務局長が突然、心変わりしたのではないかと思われる発言を行うに至った。七月一五日にテドロスはウイルスが武漢ウイルス研究所から流出した可能性を排除するのは時期尚早とし、中国当局に一層の透明性、開放性、協力を求めると語った。[138] この発言は習近平指導部に阿ってきた感のあるテドロスの従前の姿勢から多少なりとも逸脱したものであった。

ＷＨＯ調査団はこれまで残念ながら生データを中国側から提供されていないとし、「感染拡大の初期における情報や生データについて中国に対し透明性、開放性、協力を求める」とテドロスは語った。[139] しかもテドロスによると、ウイルスが同研究所から流出したとみる仮説を排除するよう求める圧力があったとのことである。[140] もしテドロスが言うとおり圧力が実際にあったとすれば、これは重大なことである。しかも前述の三月三〇日公刊の「ＷＨＯ報告書」は研究所から流出した可能性は極めて低いと論じ、テドロスもこれに同調していた。

ところが、そのテドロスが「私自身が検査技師であり、免疫学者であり、研究所で働いていた経験があるが、研究所で事故が発生したこともある」と述べた。[141] 同発言はウイルス感染が研究所内での事故の結果であるという可能性は排除できないと示唆したものである。その上で、テドロスは「研究所で何が起きたか精査することが重要である」とし、[142]「感染拡大の前後における実験室の状況に関する直接的な情報が必要であり[143]」、そのためには中国の協力が不可欠であると力説した。テドロスの言わんとすることは、完全な情報が提供されれば、実験室にまつわる疑惑は払拭できることになる。

猛反駁する習近平

こうしたテドロスの発言に対し、間髪入れずに趙立堅は猛反駁に転じた。趙立堅曰く、「すべての当事者は問題を政治化するのではなく、科学者の意見と科学的結論を尊重する必要がある。……二〇二一年三月にWHOはWHOと中国の共同研究による報告書を発表した。この報告書で、実験室から流出した可能性は極めて低い一方、輸入冷凍食品を通じた感染を重視する必要があるとの結論に達した」と居直ったのである。[144] 趙立堅によれば、ウイルスの発生源を実験室に結びつけようとするのは政治的な動機に基づいたものであり、感染は外国で始まった可能性がある。

ここにきて、テドロスまでが武漢ウイルス研究所からウイルスが流出した可能性が排除できないと論じると、今度は習近平指導部の批判の矛先がそのテドロスに向かい始めたことは皮肉なことである。テドロスの突然の心変わりの背後に何があったのか不明であるとは言え、同氏の心変わりにより習近平は有力な支持者を失ったと言えるのでなかろうか。

今後、武漢ウイルス研究所からウイルスが流出したことを裏付ける決定的な証拠が提示されるかどうか不確実であるとしても、多くの専門家は同研究所から流出した可能性を真剣に疑い始めている。習近平指導部は真っ向から否定しているものの、外部世界の目は一層厳しくなっている。バイデンの要請に基づく報告の公表が待たれるところである。報告の内容如何では米中の対立は引き返すことのできない厳しい対立に発展する可能性がある。

第二章　米中新冷戦の勃発－世界大国を目論む中国と米国の対峙

習近平中国共産党総書記は二〇一二年に「中国の夢」について語った。その「中国の夢」とは「中華民族の偉大なる復興」を意味する。(1) より具体的には一九四九年の中華人民共和国の建国から百周年を迎える二〇四九年までに世界一の国家を目指すという遠大な国家戦略であると言える。この国家戦略の実現に向けて習近平指導部は邁進している感があるが、同戦略は幾つかの重要な柱から構成されていると考えられる。

1　「一帯一路」の推進

そうした国家戦略の代表的な柱の一つは「一帯一路」の推進である。(2)「一帯一路」とは中国を起点として西方に向けて陸路と海路からなる巨大な経済圏の建設を目指す目論見である。陸路とは「シルクロード経済ベルト」と呼ばれ、中国西部から中央アジアを経てヨーロッパに至るルートである。海路とは「二一世紀海上シルクロード」とも呼ばれ、中国沿岸地域を始点として東南アジア、南アジア、アラビア半島沿岸地域、さらにはアフリカの東海岸をつなぐルートである。この「シルクロード経済ベルト」と「海上シルクロード」の二大ルートをつなぎ合わせ巨大な経済圏を建設するという、途方もなく遠大な挑戦に習近平指導部は二〇一三年に乗り出した。

そもそも習近平指導部が掲げる「一帯一路」の背景には、国家の経済発展にとってインフラ整備が礎になるという確信があるとされる。同構想はインフラを大々的に整備したことにより持続的な経済発展につながったという中国の経験に基礎を置く。しかし実際にはそれだけではなく、同指導部の強かな経済戦略でもある。同構想の根底には持続的な経済成長を続けてきた中国の成長が頭打ちになり始めたことを踏まえ、これに対処するために途上国のインフラ整備に向け莫大な額の融資を行い、途上国の経済成長を促し行く行くは中国が投下した融資を回収しようとする強かな狙いがあると考えられる。

習近平指導部が同構想を発進するにあたり、参加加盟国を募り参加国への莫大な資金の提供を約束した。それを可能にせしめたのはいかなる国にも追随を許さない潤沢な資金であった。同構想のためにアジアインフラ投資銀行（ＡＩＩＢ）を創設し、多数国に膨大な額に及ぶ資金を中国は拠出してきた。

「債務の罠」

中国がこれまで「一帯一路」の下で参加国に貸し付けた総額は一兆ドルをはるかに超え

るとされる。[3] この結果、百以上の加盟国で数百のプロジェクトが推進されているとされるが、必ずしも良いことばかりではない。と言うのは、莫大な額の資金の提供といっても援助ではなくあくまで貸付であり融資である。言葉を変えると、資金の提供を受けた加盟国は遅かれ早かれ債務の返済に迫られるわけであり、少なからずの国々が債務の返済に苦しんでいるとされる。中国の近隣ではモンゴル、キルギスタン、タジキスタン、ラオス、パキスタン、モルディブ、欧州ではモンテネグロ、アフリカではジブチなどがしばしばあげられる。[4] この最たる事例は債務不履行として烙印を押され向こう九九年にわたり差し押さえ処分となったスリランカのハンバントタ港湾施設（Hambantota Port）の事例である。[5] こうしたことから、「債務の罠」という有り難くない呼称をいただいているわけである。[6] とは言え、習近平指導部が最初から資産の収奪を狙い資金を貸し付けているわけではないであろう。と言うのは、資産の差押えという事例は他の加盟国に与える印象が誠に悪く、国際的な信用を著しく損ねることになりかねない。まさしく悪徳高利貸しの印象を与えかねない。

「一帯一路」の貸付の実態

ところが、留意すべき報告も行われている。「一帯一路」の下で推進されているプロジェクトと国際復興開発銀行（IBRD）やアジア開発銀行（ADB）などが貸付けを行っているプロジェクトについて、融資条件の視点から比較すると、「一帯一路」の融資条件がはるかに厳格であるとされる。と言うのは、国際復興開発銀行やアジア開発銀行などが行ってきた融資の金利は〇・二五から三％の範囲に抑えられている。これに対し、「一帯一路」のプロジェクトでは融資の金利が三％以上である契約が多くを占める。その中でも前述のハンバントタ港湾施設プロジェクト（Hambantota Port Project）の金利は実に六・三％に及んだ。これでは債務不履行となるのは無理もなかったと言うべきであろう。この他に、スリランカのノロックコライ火力発電所プロジェクト（Norochcholai Coal Power Plant Project）は四％、ナイロビ‐モンバサ鉄道（Nairobi-Mombasa Railway）は三〜四％、マレーシアの東海岸鉄道（East Coast Rail Link, Malaysia）は三・二五％、ウガンダのマラバ‐カンパラ鉄道（Malaba-Kampala Railway）は三％、中国‐ラオス鉄道（China-Laos Rail）は三％、エチオピア‐ジブチ鉄道プロジェクト（Ethiopia-Djibouti Rail Project）も三・一％に達するとされる。(7)

また「一帯一路」のプロジェクトの融資の金利が低くないだけでなく償還期間や猶予期

間が短期であることが指摘されている。[8] しかも途上国に低金利で融資を行う事例もあるとされる。しかしそうした場合、往々にしてからくりがあり、債務の返済が滞った場合に備え、途上国の天然資源などが担保になっている場合があるとされる。

コロナ禍の衝撃と「一帯一路」

上記のとおり、コロナ禍の以前から少なからずの国が債務の返済に苦しんできた。しかも、こうした状況を直撃したのがコロナ禍である。現在コロナ禍の下で程度の差こそあれ、少なからずの被害に各国は曝されている。新型コロナウイルスの感染による直接的な被害もさることながら、経済活動に与える被害も甚大となっている。

これまで債務の返済に苦しんできたのは上記のとおり一部の国々とされたのが、コロナ禍は事態を一層悪化させている。と言うのは、多額の融資を受けている多数の途上国がコロナ禍の下で長期間にわたり経済活動が止まったり、その後経済活動を再開しているにしても一様に資金繰りに苦しんでおり、債務の返済の目途が一向に立たないという状況が生まれているとされる。「一帯一路」に参加する一三八ヵ国の加盟国のうち大半が途上国であるが、コロナ禍の下で借り受けた債務が膨らみ債務の返済に追われている。債務国側が契約通りに債務を返済できないとして債務の返済条件の緩和を求める場合、どのように習近平指導部が対応するのか注目されるところである[9]。

G20合意（二〇二〇年四月）

こうした状況の下で、二〇二〇年四月に重要な合意がG20で成立した。これにより、低所得国に対する二国間の融資の返済期限を二〇二〇年の終わりまで猶予することになった[10]。しかしコロナ禍で、途上国の多くが中国に債務の返済条件の緩和を要請しているとされるが、コロナ禍の煽りを受け二〇二〇年第一四半期の中国の経済成長率がマイナス六・八%を標した[11]。これまでになかった状況の下で、債務返済の条件の緩和に習近平指導部が応じるであろうか。

習近平指導部の対応？

これに対し、習近平指導部はあくまで元金と利息の回収で譲歩しないであろうとみられる。この結果、途上国が債務を返済できないのであれば、最悪、資産の差押え処分という強硬策もありうる。とは言え、習近平指導部にとってそうした強硬策はできるだけ避けたいところであろう。より長期的な視野に立ち、債務国が債務不履行に陥らないように、返済期間の延長や金利の減免など債務返済の条件を大幅に緩和することを習近平指導部が配慮する可能性もないわけではない。[12]しかしそれでも債務国側が契約通り債務を返済できない場合、債務不履行として差押えという判断に習近平指導部は至る可能性がある。また中国の金融機関が債務の取立てに動く可能性もある。この意味で、「債務の罠」が現実に起きることになりかねない。

本来であれば、「一帯一路」は債務国と債権国のお互いが潤うことになるという論理に基づいている。そうでなければ、「一帯一路」が立脚する前提条件が崩れるであろう。ところが、コロナ禍の下で現実となろうとしているのは、債務国側が債務を一向に返済できずに債務不履行として差し押さえられるという最悪とも言える展望である。

その意味で、コロナ禍は債務国側だけでなく債権国側の中国にとっても想定していなかった事態を生んでいると言えよう。債務不履行の危機が増大している中で、資産の差押えはこれから増加するのではないかと懸念される。しかしスリランカのハンバントタ港湾施設の事例を踏まえるまでもなく、今後、債務国の担保の差押えに習近平指導部が走るようなことがあれば、同指導部が悪徳高利貸しのレッテルを貼られるのは免れないであろう。

「一帯一路」に内在する歪や矛盾がコロナ禍の下で一挙に露呈している。二〇一三年に習近平指導部が多数の参加加盟国を募りそのインフラ整備を掲げ莫大な資金の提供を呼び掛け、「一帯一路」を発進させた原点は違ったところにあったはずである。債務国側と債権国側のお互いが利益を享受するという発想に基づいたはずの構想が、コロナ禍の下で債務国から形振り構わず融資の回収を迫ったり担保を強引に差し押さえようとすれば、その信頼と信用は地に落ちかねないであろう。

2 「海洋帝国」の建設

世界大国の実現を目論む習近平指導部が掲げる国家戦略の柱の一つは「海洋帝国」の建設であると考えられる。[13] 中国の顕著な海洋活動の一つは南シナ海ほぼ全域を領有しようとする動きであると言える。中国は南シナ海のほぼ全域を覆う、いわゆる「九段線（"Nine-Dashed Line"）」を引き、これを根拠に南シナ海のほぼ全域に領有を主張してきた。そうした中国の主張は誠に不可解である。現在の海の国際法は一九八二年に採択された国連海洋法条約（「海洋法に関する国際連合条約」）に定められている。中国も同海洋法条約の締約国である。南シナ海のほぼ全域に領有を主張していることが露骨な条約違反であることは一目瞭然である。上記の「九段線」に反発するフィリピンは常設仲裁裁判所に中国を訴え、二〇一六年七月一二日に同裁判所は「九段線」に法的な根拠はないとする裁定を下し、これにより中国による主張は否定された。[14] しかし習近平指導部は同裁判所の判決を受け入れる姿勢を微塵もみせていない。フィリピンだけでなくベトナム、マレーシアなど南シナ海に面する東南アジア諸国が中国の主張に猛反発しているが、効果的な対抗手段を持ちえない。中国はこれらの国々が無力であることを認識し、お構いなしに海洋進出を続けているのが現状である。

南沙諸島の「軍事拠点化」

これと並行して中国と近隣諸国の間で対立の焦点となっているのが南シナ海の南沙諸島である。南沙諸島には無数の島が点在する。とは言え、諸島という名称が付いているが、実際には環礁の集まりである。このうち、ガベン礁、クアテロン礁、ジョンソンサウス礁、スービ礁、ファイアリークロス礁、ヒューズ礁、ミスチーフ礁などを実効支配し、その上で「人工島」に中国は造り替えた。しかもこれらの幾つかの「人工島」に長距離滑走路を敷き空軍機の発着を可能にしようとしている。加えて、空軍基地やミサイル基地が建設されているとみられる[15]。

これが南沙諸島の「軍事拠点化」に向けた動きである。ここ数年でこれらの「人工島」が全く様変わりしたことが報告されている。これに対して、近隣諸国は反論するが全く無力である。中国の横暴な振る舞いに対し、米海軍は「航行の自由作戦」と称して近接海域に米海軍艦艇をしばしば送り込んできたが、これといった牽制になっていない[16]。

南シナ海での中国の海洋活動

しかも各国が現在、コロナ禍への対応に追われている間、中国の海洋活動が日増しに過激かつ横暴になっている。二〇二〇年四月二日にベトナム漁船に中国の巡視船が体当たりし沈没させた[17]。その後、四月一三日に中国の空母・遼寧を中核とする中国海軍艦艇が南シナ海で軍事演習を強行した。また四月一八日に南沙諸島と西沙諸島を中国の海南省の三沙市に組み込むと宣言した。これにより、南沙諸島は同市の南沙郡、西沙諸島は西沙郡とされた[18]。

東シナ海への中国の海洋進出

南シナ海全域の領有に向けた中国の横暴な動きと並行して進む東シナ海への海洋進出は、わが国にとって極めて憂慮すべき事態である。習近平指導部は海軍力の増強を背景に外洋である太平洋への進出を目指してきた。山東省の青島に中国人民解放軍海軍北海艦隊の司令部が置かれている。中国海軍が太平洋へ進出するうえで妨げになっているのは朝鮮半島と日本列島の存在である。中国海軍が太平洋に進出するためには幾つかの航路を選択する必要がある。第一は日本海からオホーツク海を通過して太平洋に至る航路であるが、朝鮮半島と日本列島を迂回する必要があるため極めて遠回りとならざるをえない。第二は日本海から津軽海峡を通る航路であるが、これも同様に遠回りとなる。第三が沖縄本島と宮古島の間の宮古海峡を通過する航路である。第四は台湾海峡を通過し南シナ海を経て太平洋に至る航路であるが、これも遠回りとなる。[19] これらの航路の中で宮古海峡を通過する航路が太平洋に抜ける上で最も近道であることは明らかである。こうしたことから、近年、宮古海峡を中国の公船がしばしば通過することが伝えられている。この航路に近接してわが国の領土である尖閣諸島があることに留意する必要があろう。

しかも今、コロナ禍の下で中国は南シナ海だけではなく東シナ海でも動きを活発化させている。二〇二〇年四月一一日に宮古海峡を中国海軍の空母・遼寧ならびに中国海軍艦艇数隻が航行した後、一二日に台湾付近の海域で軍事演習を強行した[20]。

尖閣諸島領海への中国海警局船舶の侵入事件

尖閣諸島の領有が中国に揺さぶられていることに注視する必要がある。二〇二〇年四月一四日以降、連日、尖閣諸島の領海の外側の接続水域に中国海警局船舶が侵入するという事態が続いている。こうした中で、尖閣諸島の領海内で極めて遺憾な事件が発生した。五月八日に同領海内で操業していた「瑞宝丸」という漁船が四隻の中国海警局船舶に追い回わされるという事件が起きた。このため海上保安庁の巡視船が漁船を警備する事態に及んだ[21]。これに対し、趙立堅・中国外務省報道官が猛反駁するに及んだ。五月一一日に「日本漁船が中国の領海で違法操業をしていた」と趙立堅は声を荒げ、中国は「海上保安庁の船舶による違法な妨害に断固として対応した」と断じた[22]。こうした発言は尖閣諸島が中国の領有下にあるとの前提で論じている。こうした状況を放置すれば、遠からず次の段階の行動に習近平指導部が乗り出すことを想定する必要があろう。

茂木外相、中国による「サラミ戦略」（二〇二〇年六月一二日）

これに対し、日本政府の対応は鈍いと言わざるを得ない。二〇二〇年五月八日に起きた尖閣諸島領海内への中国海警局船舶による侵入問題から一ヵ月以上経った六月一二日に至り、ようやく茂木外相は同侵入問題に触れた。茂木氏によると、「中国は一つずつステップを踏んで現状を変更し、新たな事実を作っている段階にある。」中国は「『サラミ戦略』を取っている」とし、「しっかり対応することが必要だ。[23]」

外相の発言は明らかに遅きに逸した感がある。しかもその後も、尖閣諸島の周辺海域への中国海警局船舶の侵入は続いているが、政府がこれといった対応を講じていないのはどうしたことか。もしこうした状況を放置していたならば、尖閣諸島を力ずくで実効支配しようと習近平指導部が目論むことが考えられないわけではない。こうした状況の下で、島嶼防衛が喫緊の課題として浮上している。

3 「核大国」の建設

二〇四九年までの世界大国の実現を掲げる中国の国家戦略の第三の柱は「核大国」の建

設であると言える。実際、近年、中国の核軍拡は猛烈な速度で進んでいる。[24]

NPTと中国

まず指摘されるべきは国際条約一般を軽視する中国の姿勢である。こうした姿勢は核拡散防止条約（「核兵器の不拡散に関する条約」＝NPT）に対しても表れている。中国は米国、ロシア、イギリス、フランスと共にNPTの下で核保有を認められた、いわゆる「核兵器国」であると位置づけられている。とは言え、「核兵器国」はNPTの下で義務や責任を何も負わないわけではない。実際にNPT第六条は「核兵器国」が「核軍備競争の早期の停止及び核軍備の縮小に関する効果的な措置につき、並びに厳重かつ効果的な国際管理の下における全面的かつ完全な軍備縮小に関する条約について、誠実に交渉を行うことを約束する」と定めた。[25]第六条に明示されている通り、「核兵器国」は核軍縮交渉を誠実に実施しなければならない。

他方、核保有が禁止された「非核兵器国」は非核であることを立証するためにIAEAと保障措置協定を結びIAEAによる核査察を受けることが義務付けられている。これを受け、わが国をはじめとする「非核兵器国」は核査察を受け、非核であることを立証している。

それでは、「核兵器国」は実際に核軍縮交渉を真摯に実施しているであろうか。二〇一八年八月の時点で、米国の核弾頭数は六四五〇発、ロシアは六八五〇発、イギリスは二一五発、フランスは三〇〇発、中国は二八〇発とされる。[26] 米露は有り余る核弾頭の削減に緩慢ながらSTART諸条約を通じ取り組んできたが、それでもその上限は依然として高い。他方、イギリス、フランス、中国はこれまで実効的な軍備管理交渉に取り組んできたとは言えない。しかも中国の核弾頭数は近年、漸次増大する傾向にある。

INF全廃条約

冷戦時代の末期に二大軍事超大国であった米ソ間で緊張緩和が進むのと並行する形で、軍備管理の分野において特記すべき進展がみられた。その代表的な軍備管理交渉が五〇〇から五五〇〇キロ・メートルの射程距離の中距離核戦力の交渉であった。一九八一年に始まった同交渉は当初、難航を重ねたが、八〇年代後半に実を結び始めた。この背景には、八〇年代後半に至り進んだ米ソ間の緊張緩和があったことは周知のとおりである。この結果、八七年一一月に上記の射程距離の地上発射弾道ミサイルおよび地上発射巡航ミサイルの配備だけでなく生産、実験、保有を禁止したＩＮＦ（中距離核戦力）全廃条約が締結されるに至った。(27)同条約は米ソ両国が保有した中距離核戦力を文字通り、全廃する内容であった。九一年一二月のソ連解体に伴い、同条約はロシアに継承された。

急増する中国の中距離核戦力

ＩＮＦ全廃条約は冷戦時代の軍備管理を代表する画期的な成果と言えたが、少なからずの制約を抱えていた。その最大の事由の一つは同条約が米ソあるいは米露の二国間条約であったことに求められよう。言葉を変えると、同条約はこれらの締約国以外の国の中距離核戦力にいかなる縛りをかけるものでなかった。このことは同条約の締約国でなかった中国に中距離核戦力の開発・配備に向かわせるまたとない機会を与えたのである。

実際に、これをよいことに中国は中距離核戦力の開発・配備に向け猛進した。中国が保有するとされる中距離核戦力の内訳は約五〇〇から一一五〇基程度のミサイルと、約二八〇発程度とされる核弾頭からなるとされる。(28)その結果、中国の地上発射弾道ミサイルの内、実に九割以上がＩＮＦ全廃条約が禁止した中距離核戦力であるとされる。

中国の中距離核戦力の脅威

こうした射程距離を誇る中国の中距離核戦力がハワイ諸島以西のアジア・太平洋地域の大部分の国々に与える脅威が甚大であることは言うまでもない。同戦力の大量配備を背景に、南シナ海ほぼ全域に領有を主張している一方、わが国の南西諸島を始めとする東シナ海を中国が威嚇していると言っても過言でないであろう。

東風－21（DF-21）と東風－26（DF-26）

中国が中距離核戦力の配備を重視してきた事由には、上述の地域の諸国を威嚇するだけでなく、中国領土の近接海域を航行する米海軍の空母打撃群を叩く狙いがある。中国から見れば、中国の近海を航行する米空母打撃群は誠に目障りな存在である。射程距離が約一五〇〇キロ・メートルと目される東風－21（DF-21）は米空母を撃破する能力があるとされることから、「空母キラー」の異名をとる。[29] これに対し、射程距離が約四〇〇〇キロ・メートルに達するとされる東風－26（DF-26）は米領グアム島を確実に射程内に捉える。[30] このことから、同ミサイルは「グアムキラー」とも呼ばれる。グアム島には米国のアジア・太平洋地域の防衛の要衝であるアンダーセン米軍基地がある。

また中国の中距離核戦力の増強に目を奪われがちになるが、この間、北朝鮮の金正恩指導部が核ミサイル開発に狂奔してきたことは周知のとおりである。日本領土を射程内に捉えかねない中距離核戦力の実戦配備を同指導部は進めてきた。その代表格が日本領土ほぼ全域を射程内に捉える射程距離約一三〇〇キロ・メートルのノドン・ミサイルである。INF全廃条約は中国だけでなく北朝鮮の中距離核戦力の配備も禁じることができなかった。またこの間、INF全廃条約の締約国であるはずのロシアも間隙を縫うように、地上発射中距離弾道ミサイルの開発を続けていた。[31] 同ミサイルはヨーロッパのNATO諸国に少なからずの脅威を与えることになった。

トランプ政権、INF全廃条約からの離脱表明と条約失効

ところがこの間、どういうわけかオバマ政権は中国の中距離核戦力を含めた大規模の核軍拡を取り立てて問題視しなかった。しかしトランプ政権にとって中国の中距離核戦力の大量配備はもはや看過できる問題でなくなっていた。INF全廃条約の存続の検討を余儀なくされたトランプ政権は、同条約からの離脱という決定に至った。トランプ政権はプーチン政権に対し同条約からの離脱を二〇一九年二月一日に通告した。これにより、六ヵ月

後の八月二日にＩＮＦ全廃条約が失効した(32)。

同条約からの米国の離脱後も、中国は中距離弾道ミサイルの発射実験を強行した。二〇一九年六月下旬から七月上旬に南シナ海の南沙諸島の付近で、東風‐21Ｄ改良型あるいは東風‐26と目される、六発の弾道ミサイルを試射したことが伝えられた(33)。

トランプ政権、中距離核戦力の配備構想

この間、中国による中距離核戦力の増強をこれ以上座視できないと考えたトランプ政権は中距離核戦力を新規に導入する必要があるとの結論に至った。ＩＮＦ全廃条約の失効を受け、同政権はまもなくアジア・太平洋地域への中距離核戦力の配備構想を明らかにした。エスパー（Mark Esper）米国防長官は二〇一九年八月上旬にオーストラリア、日本、韓国などアジア・太平洋地域の同盟諸国を訪問し、同戦力の配備の可能性について発言した(34)。

習近平指導部の猛反発

これに対し、習近平指導部は直ちに猛反発した。二〇一九年八月六日に傅聡（フー・ツォン）中国外務省軍縮局長は幾つかの重要な点を明らかにした(35)。第一は、トランプ政権

によるＩＮＦ全廃条約からの離脱に対する遺憾の意の表明であった。第二は、アジア・太平洋地域に中距離核戦力を米国が持ち込もうとすれば、断固たる対抗手段に打って出るとする意思表示であった。第三は、同戦力の全廃を目的とする軍備管理交渉に中国が参加する意思は毛頭ないとの拒否表明であった。

傅聡の発言に習近平指導部の姿勢が集約されていたと言える。まずトランプ政権がＩＮＦ全廃条約から離脱を決めた最大の事由が中国の中距離核戦力の大量配備にあったにもかかわらず、米国の離脱を遺憾であるとしたのは不可解であった。もし米国の離脱を遺憾であると中国当局が真摯に考えるのであれば、中国も中距離核戦力を全廃するか、少なくとも大幅に削減すべきではなかろうか。

第二に、アジア・太平洋地域に中距離核戦力を米国が持ち込もうとすれば、断固たる対抗手段に打って出るとしたが、これは明らかに恫喝と言えるものである。自ら大量の中距離核戦力を配備することにより射程内に入る諸国を激しく威嚇しておきながら、アジア・太平洋地域への米国による同戦力の持込みは断固看過できないとする姿勢は矛盾していないだろうか。

第三に、米政府は今後、中距離核戦力を再導入する一方、米国、ロシア、中国の三国でかつてのＩＮＦ全廃条約交渉のような中距離核戦力の全廃を目指す交渉を行う用意があることを示唆している。これに対し、米国による交渉打診に予防線を張るかのように、交渉に中国が加わることは断固ありえないと断言した。そうした姿勢は米露が二国間で交渉を行うことはやぶさかでないが、中国はいかなることがあろうとも同戦力を堅持するという意思表示と受け取れる。この背後には、中国の「核心的利益」の確保のためには同戦力が不可欠であるとの認識があるのであろう。

その後、二〇二〇年八月二六日に中国はまたしても東風－21Ｄと東風－26Ｂを南シナ海に向けて数発発射したことが明らかになった。[36] 他方、間断なく続く習近平指導部による中距離核戦力の増強はわが国に深刻な脅威を与えている。これに対し確固たる対抗基盤をわが国は手遅れにならない内に整備する必要がある。その対策の一つとして今後、米国の中距離ミサイルの展開も選択肢として検討する必要があるのでなかろうか。

4　「反分離主義闘争」

二〇四九年までに世界一の国家を目指すという遠大な国家戦略の実現に向けて習近平指

導部は邁進している感があるが、同戦略は幾つかの重要な柱から構成されていることは述べたとおりである。そのうち、「一帯一路」の推進、「海洋帝国」の建設、「核大国」の建設などは中国の対外的な膨張政策の一環として捉えることが可能である。これに対し、第四の柱は中国の対内的な引き締め政策として捉えることができよう。これは習近平指導部の「反分離主義闘争」と捉えることができよう。[37] 二〇二〇年五月二八日に中国の立法機関である全国人民代表大会（全人代）において香港国家安全法が採択され、六月三〇日に全人代常務委員会において香港国家安全維持法が制定され、高度な自治が認められた香港の自治は事実上、剥奪されることになった。

背景

「中華民族の偉大なる復興」を掲げ「中国の夢」の実現を目論む習近平指導部の目には、高度な自治を主張する香港特別行政区（香港）は忌まわしき過去の植民地統治の残滓と映るのであろう。この背景には複雑に捻じれた歴史が横たわることは周知のとおりである。一八三九年に清（現、中国）とイギリスの間でアヘン戦争が勃発し、清は大敗し屈辱的な南京条約が一八四二年に結ばれた。一八四七年に香港はイギリスに永久割譲されることになったが、その後の取引で一九九七年まで香港はイギリスの租借地となった。一五〇年間に及ぶイギリスによる植民地統治を経て、一九九七年に香港は中国に返還されることになった。しかし、中国共産党による統治下にある中国に香港を返還することに少なからず懸念があった。そうした懸念を考慮して、一九八四年に「英中共同宣言」が結ばれ、五〇年間は香港の高度な自治が保証されることが決まった。[38]これが「一国二制度」と言われる所以である。

また中国内にはチベット自治区や新疆ウイグル自治区など自治権を主張する地域や、習近平指導部からみれば分離主義志向の強い台湾が存在する。こうした状況の下で、香港の自治を放置することは中国内の自治区の自治権運動を刺激しかねないし、なによりも台湾の動きに火をつけかねないと同指導部はみている。

中国内での引締めを断固図らないかぎり世界大国の実現はいつまで経っても完遂することは難しいと習近平指導部は捉えているのであろう。これ以上、香港の高度な自治を認めるなど悠長なことは言っていられないという焦りが習近平指導部にみられた。二〇四九年までに世界大国を実現することを掲げているものの、習近平からみれば、自らが最高指導者の地位にとどまるうちに、世界大国の実現を果たしたいと目論んでいるのではなかろうか。

「逃亡犯条例」改正案の完全撤回（二〇一九年九月）

香港の自治の形骸化に向けて突き進む習近平指導部が目を付けたのは親中派が多数を占める香港特別行政区立法会（香港議会）で「逃亡犯条例」改正案を採択し、香港の自治を形骸化しようとする試みであった[39]。同改正案は中国当局への容疑者の身柄引渡しの手続きを簡素化するものであった。当初、「逃亡犯条例」改正案がほどなく香港立法会で立法化されるであろうと、習近平指導部は安易に考えた節があったと思われる。これに対し、香港住民、とりわけ若者たちはこの改正案が契機となり自治が著しく損なわれることを案じ、同改正案の完全撤回要求を表明し、二〇一九年六月頃から激しい抗議活動を繰り広げるに至った。これに対し、わが国を含む各国のメディアが抗議活動と警察の衝突を世界に向けて発信し続けたことにより、香港情勢は世界の関心事となった。

習近平指導部にとって二〇一九年一〇月一日の建国七十周年記念日までになんとして問題の解決を図りたいところであった。とは言え、抗議活動が収束する見通しが一向に立たない状況の下で、同指導部は武力弾圧をちらつかせ始めた。香港の隣に位置する深圳（しんせん）では中国人民武装警察部隊が待機し、命令次第で武力行使を威嚇していた。そうした中で、九月四日に突然、林鄭月娥（リンテイ・ゲツガ）香港行政長官が「逃亡犯条例」改正案の完全撤回を発表した。(40)

習近平の危機感

その後二〇一九年一一月二四日に実施された香港の区議会議員選挙で民主派候補が圧勝を博したことは周知のとおりである。(41) 二〇二〇年九月に香港の立法機関である香港立法会議会選挙の開催が予定された。習近平指導部が危惧したのは立法会選挙で民主派が勝利を収めることがあれば、香港立法会の過半数が民主派に占められかねないという事態であった。そうした事態を断固阻止したいと考えた習近平指導部は香港立法会を飛び越える形で中国の立法機関である全人代での立法を通じ香港の自治を形骸化しようとしたのである。この布石となったのが二〇一九年一〇月に開催された第一九期中央委員会第四回総会（四中総会）において採択された「法律制度と執行メカニズム」であった。(42) これが二〇二〇年五月下旬開催の全人代における香港国家安全法の採択に向けた序曲となったと言える。

全人代、香港国家安全法採択（二〇二〇年五月二八日）

新型コロナウイルスの感染拡大の事実上の収束を受け開催された全人代で五月二八日に「香港が国家安全を守るための法制度と執行メカニズムに関する決定」が採択される運びとなった。これが香港国家安全法である。[43]

本来、香港の憲法とされる香港特別行政区基本法（香港基本法）は中国の法律から独立した法体系を持つとされる。その意味で、香港基本法は全人代での立法から独立した存在であるはずであるが、国家の安全という領域において香港基本法の独立性は必ずしも明確でない。まさしく中国の立法機関である全人代での立法を通じ習近平は香港基本法を骨抜きにしようとしたのである。

香港国家安全法には国家の分裂を招きかねない活動、政権の転覆、テロリズム、外部勢力による内政干渉などを禁ずる内容が盛り込まれた。したがって、もし二〇一九年に繰り広げられた抗議活動が今後行われることがあれば、同法が適用され抗議活動が文字通り、弾圧されかねないことが危惧される。またこれに関連して、香港国家安全法の下で香港立法会選挙において民主派候補が排除されるようなことがあれば、高度な自治を掲げてきた香港の自治は根底から揺らぐことになると予想された。

香港に対しこれまで米国政府が関税や金融面を始めとして様々な優遇措置を講じてきたのはなによりも高度な自治に対する配慮からであった。しかし中国が香港国家安全法を採択した以上、優遇措置の撤廃に動かざるをえないという判断をトランプ政権が行った。五月二九日にトランプ大統領は「香港はもはや、米国が香港の中国返還以降に与えてきた特別な待遇を保障するのに十分な自治を維持できていない。中国は約束してきた『一国二制度』を『一国一制度』に転換した」と述べ、これまで香港に対し米国が行ってきた優遇措置を撤廃すると明言した[44]。実際に提示された一連の措置は香港への優遇措置の撤廃だけにとどまらず、中国の経済活動への制裁を含む[45]。

その後、二〇二〇年六月三〇日に全人代の常務委員会において香港国家安全維持法（中華人民共和国香港特別行政区国家安全維持法）が可決され、直ちに施行に移されることになった[46]。

台湾への飛び火

各国がコロナ禍の下で身動きがとれない状況を狙い、習近平指導部は目障りに映る香港の高度な自治を切り崩し中国内の引き締めを一気に図ろうとしている感がある。香港の次に矛先が向けられるのは間違いなく台湾であろう。全人代での香港国家安全維持法の採択の前に蔡英文（ツァイ・インウェン）台湾総統の二期目の就任演説が行われたことに習近平指導部は神経を尖らせた。その意味で、香港国家安全維持法の採択は台湾に対する牽制であるとの側面も看守された。二〇二〇年五月二〇日の就任演説の中で、中台関係は「平和と対等、民主、対話」の原則に立脚しなければならないとし、「共存の道を見いだし、対立と相違の増大を防ぐ責任が双方にある」と、蔡英文は力説した。[47]

これに猛然と反発するかのように、習近平指導部は台湾に対する武力行使の可能性をちらつかせた。五月二六日に全人代の中国人民解放軍・武装警察部隊代表団の全体会議において、武装戦闘準備と軍事任務遂行能力を習近平は強調した。[48] このことは台湾への強硬対応を念頭に置いたものであると言える。

続いて五月二九日に李作成（リイ・ツオチェン）連合参謀部参謀長は「平和的再統一の可能性が失われることがあれば、中国人民解放軍は……いかなる分離主義派の企みや行いを徹底的に粉砕するために、あらゆる必要な手段を講ずるであろう」と、蔡英文政権を恫喝したのである。[49]

その上で、台湾への上陸作戦を主任務とするとされる中国陸軍第七三集団軍の水陸両用戦車が上陸訓練を強行したとの報道が六月三日に行われた。[50] 同訓練はいつでも台湾への軍事侵攻の準備はできているとの示威行動であると受け止められる。台湾に対する強硬な姿勢は全人代で五月二二日に報告された国防予算の増大にも示された。中国の国防費は二〇一九年に比べ六・六％も激増したことが明らかになった。[51] 中国国防省はこの増加は「反分離主義闘争」を視野に捉えたものであると示唆した。

「一国二制度」と言っても、習近平指導部が言うところの「一国二制度」と香港の活動家達が叫ぶ「一国二制度」とはかなりかけ離れたものである。同指導部が言うところの「一国二制度」は事実上、有名無事実化した「一国二制度」であろう。その意味で、新疆ウイグル自治区やチベット自治区の名称に付いた自治区という文字が名ばかりの存在になっていることを想起する必要がある。これに対し、香港の活動家たちが声高に訴える「一国二制度」は前述の一九八四年の「英中宣言」で約束されたとおり、行政権、立法権、独立司法権など広範な自治を意味するものである。

このことから、「一国二制度」の名の下で香港の自治を有名無実化した後は、「一国二制度」の名の下で台湾を中国本土に事実上、編入したい意図と意思が習近平指導部にあることが明確に伝わってくる。その意味で、今や「一国二制度」という言葉は習近平指導部からみて誠に都合の良い言葉であることに留意する必要があろう。香港で起きていることを踏まえると、「一国二制度」というのは限りなく危ない罠である。また蔡英文政権はこのことを熟知していると言えよう。

5 トランプ政権の反転攻勢と米中新冷戦の勃発？

コロナ禍での習近平指導部の動きとトランプの反転攻勢

不可思議なことに、現在、コロナ禍の下でわが国を含め中国の近隣諸国がコロナ対策に追われている間、コロナ禍を逆手に取るかのように、習近平指導部は世界大国の実現に向けてがむしゃらに突進している感がある。この結果、香港の自治の事実上の剥奪を始めとして様々な問題が発生している。それらには南シナ海ほぼ全域の領有に向けた動き、南沙諸島の「軍事拠点化」に向けた動き、台湾の軍事併合に向けた動き、わが国の尖閣諸島の実効支配に向けた動きなどが含まれる。こうした動きをもはや看過できないと見たトランプ政権は二〇二〇年七月以降、様々な分野で反転攻勢をかけた。

香港の自治の事実上の剥奪に怒りを隠せないトランプ大統領はこれまで認めてきた香港

の関税上の優遇措置を廃止すると共に、中国の金融機関へ制裁を科すことを明らかにした。[52]これに同調するかのように、香港の旧宗主国であった英国も怒りをあらわにした。ジョンソン英首相は七月一日に三〇〇万人もの香港市民に英国永住権や市民権を付与する可能性を示唆した。[53]加えて、ジョンソンは七月二〇日に香港との間で締結している犯罪人引渡条約を停止したことを明らかにした。[54]南シナ海ほぼ全域を領有しようとする習近平指導部の動きに対抗して、トランプ政権は南シナ海に「ニミッツ」、「ロナルド・レーガン」など米海軍太平洋艦隊の二つの空母打撃群を派遣し、七月四日と一七日の二度に及び大規模軍事演習を行った。[55]また南シナ海中央部の南沙諸島の「軍事拠点化」に向けた動きに対抗して、近接海域に米海軍ミサイル駆逐艦「ラルフ・ジョンソン」を一四日に派遣し、「航行の自由作戦（FONOP）」を敢行し、これを牽制した。[56]台湾の軍事併合に向けた動きを阻止するために、台湾との防衛協力を推進した。[57]さらにわが国の尖閣諸島の実効支配に向けた動きを阻止すべく日米共同軍事演習を行い、これを牽制した。[58]

こうした動きと並行するように、同政権は中国の通信機器企業であるファーウェイを通信市場から締め出す動きに出た。七月一四日にトランプは八月からファーウェイをはじめとする五社の中国企業の製品を扱う企業と米政府は取引を禁止すると言明した。[59]またジョンソンも七月一四日に二〇二七年までにファーウェイ製品を5G移動通信システムから締め出すと発言した[60]。さらにトランプ政権は中国によるスパイ活動の疑いがあるとして、テキサス州ヒューストンの中国総領事館の閉鎖を指示した[61]。

ポンペオ演説

この結果、米中間の厳しい対立は今や、冷戦が勃発したかのような様相を呈し始めている。しかもこれを象徴したのが二〇二〇年七月二三日にポンペオ国務長官が行った「共産主義中国と自由世界の未来（"Communist China and the Free World's Future"）」と題する演説であった[62]。この中で、ポンペオは対中関与政策からの決別を宣言した。

同演説は米中新冷戦の勃発を象徴する演説として歴史に刻まれることになるのではなかろうか。まずポンペオはこれまで中国に対し米国の指導者達が誤った考えを固持してきたと指摘した[63]。ポンペオが言うところの誤った考えとは、米国が中国に関与を続ければ、中国も自由と民主主義を尊重する国家に変容するであろうとする仮説であり、そうした仮説を歴代の米政権がまことしやかに信じてきた。とりわけ民主党政権はそうした仮説を信じた節がある。最近ではこの考えの信奉者はオバマ政権であったと言えよう。親中派のオバマ大統領は二〇〇九年一月から二〇一七年一月までの重大な時期の米大統領として中国共産党指導部、とりわけ既存の国際秩序の現状を覆そうとする習近平指導部による数々の行状を見逃し続け、また行状に目を背け続けた[64]。

米国が関与政策を続ければ中国国内で変革が起きると期待したが、現実にはそうはならなかったと、対中関与政策の功罪をポンペオは振り返った。その結果、米国の自由で開かれた社会から優れた知的財産や企業秘密が中国共産党によって盗み取られた。中国が今、IT大国として躍進した背景には米国から盗み取った知的財産や企業秘密の集積があるとポンペオは断言した。ポンペオの言葉を借りると、「中国はわれわれの優れた知的財産や貿易機密を盗み、全米を通じ数百万の仕事を奪った[65]。」

続いて、中国共産党政府は崩壊したマルクス・レーニン主義を未だに信奉しているとポンペオは論じた。その指導者である習近平共産党総書記は全体主義イデオロギーの信奉者であり、共産主義に基づく世界支配を企んでいると明言した。ポンペオによると、「中国共産党体制がマルクス・レーニン主義体制であることを知っておかなければならない。習近平共産党総書記は潰れた全体主義イデオロギーの信奉者である。習近平は中国共産主義による世界の覇権を握ろうと数十年にわたり野望を抱き続けている[66]。」

習近平が権力を握った二〇一二年以降、「中華民族の偉大なる復興」を掲げ二〇四九年までの世界大国の実現に向けがむしゃらに邁進している。このことは自由と民主主義や人権という自由主義諸国が共有する価値観に立脚する既存の国際秩序と相いれないものである。と言うのは、「中華民族の偉大なる復興」を唱える習近平の目には、中国こそが世界の中心であり、周辺地域は中国の権威と覇権の前に平伏す存在でなければならないと、映っているのであろう。この結果、遅かれ早かれ世界各国は中国に隷属を強いられることになる。習近平の目論見はそうした中華民族が世界の中心に君臨するとする中華思想史観に基づく。習近平は現代における中華思想の体現者である。

しかも中華思想史観が中国共産党一党独裁体制と結びつくことにより、その覇権主義的かつ権威主義的な性格はこれ以上にないほどに露骨でかつ横暴になる。現在、南シナ海、香港、台湾周辺海域や尖閣諸島周辺海域を含めた東シナ海、中印国境など多数の地域で摩擦や軋轢が起きていることこそ、このことを示しているのではなかろうか。

コロナ禍による習近平の本性の表出

コロナ禍は中国共産党の本性、習近平という指導者の本性をあらわにしたと言えよう。

誠に皮肉なことであるが、コロナ禍がなかったならば、その露骨で横暴で傲慢で狡猾で陰湿で陰険な本性はこれほどあらわにならなかったのではなかろうか。その意味で、コロナ禍は隠れていた本性を表に一気に表出させたと言えなくもない。

中国共産党体制の本質

習近平体制には自由と民主主義を担保する制度もなく、人権の欠片もない。中国では未だに民主主義の根幹である複数政党制に基づく普通選挙が実施されていない。そのような状況の下で、どのようにして民意が政治過程に反映されるのか。中国共産党による一党独裁体制が堅持され、その頂点にいるのは習近平である。その人物はかつての中国王朝の皇帝であるかのように振る舞い命令を下す。人民はただただそれに服従する他に選択肢がない。加えて、人民の言動は張り巡らされた監視網によって厳しく監視されている。体制を批判する者は直ちに連行され、消息をしばしば絶つ。今も昔も人民は無力である。これが中華人民共和国の現実である。その意味で、北朝鮮の金正恩体制と大同小異であるといっても過言でないであろう。

李文亮の悲劇

新型コロナウイルスが原因で亡くなった李文亮（リー・ウェンリャン）医師の悲劇は習近平体制が招いた悲劇である。二〇一九年一二月の終わりまでに武漢市の幾つもの病院に発熱など体調の異変で多くの患者が押しかけた。患者を診療した李文亮は一二月三〇日にSNSを通じ医師仲間たちに、「華南水産卸売市場で七人のSARSを確認」したと伝えた[67]。患者の治療に際し注意を喚起したものであったが、これを重大視した武漢市公安当局は「ネット上に事実でない情報を公表した」として、李文亮を摘発した。こうしたことは自由と民主主義や人権が確立された自由主義国家で起きるはずがない。どうしてこのようなことが起きるのか。その後、医療現場に復帰した李文亮は新型コロナウイルスに起因する肺炎で二〇二〇年二月七日に死亡した。

習近平とテドロスの責任

この間、二〇二〇年一月二〇日までに人から人へ感染するいわゆる「ヒト‐ヒト感染」が起きていたことは明らかである。同日、国家衛生健康委員会ハイレベル専門家グループ委員長の鐘南山（チョン・ナンシャン）は、「新型コロナウイルス肺炎は確実に人から人に感染している」と発表した。にもかかわらず、何故か、習近平は一月二四日から始まる「春節」での膨大な数に上る中国人旅行者の海外渡航にこれといった制限をかけなかった。これによってウイルスが世界中に拡散したことは一目瞭然である。「春節」時にわが国に九〇万以上の中国人旅行者が訪れることになったとされる。

しかもこともあろうに、ＷＨＯの責任者のテドロス事務局長は習近平を称賛し続けた。「春節」を前にして膨大な数に上る中国人旅行者の海外渡航を認めることは渡航先にウイルス感染を一気に拡散させるリスクがあると、テドロスはＷＨＯの責任者として習近平に警告すべきであった。そうすれば、現在も世界で猛威を振るっているパンデミックは回避できたかもしれない。にもかかわらず、そうはしなかった。テドロスが行ったことは一月二三日に習近平が武漢市を封鎖としたとして称賛したことである。テドロスの言動は明らかに常軌を逸していた。

パンデミックを引き起こした張本人は習近平であるとしても、ＷＨＯの責任者のテドロスがこれに加担したことになろう。今も、世界の各国が対応で苦しんでいるコロナ禍は習近平やテドロスの対応いかんでは発生源の中国で封じ込めた可能性があったと考えられるのである。

「中国の夢」の危険性

一九四九年の中華人民共和国の建国から百周年を迎える二〇四九年までに世界大国を実現すべく国家戦略を邁進させているが、習近平という人物が「中華民族の偉大なる復興」を掲げ「中国の夢」を無我夢中に追い求めることは実に危険なことである。

今、世界で生起していることはこの結果であると言っても過言ではない。国連海洋法条約に反し南シナ海のほぼ全域に領有を中国は主張してきたが、これを看過できないとフィリピンが常設仲裁裁判所に訴え、二〇一六年七月に同裁判所が中国の主張に法的根拠がないと裁定を下すと、裁定を平然と無視した。また南シナ海の中央部に位置する南沙諸島の幾つもの環礁を実効支配し、環礁をコンクリートで埋め立て「人工島」に造り替え、軍事基地を建設している。こうした行為の一つ一つが国際法違反に該当する。

しかも一九九七年に香港が中国へ返還された後、五〇年間は香港の高度な自治を保証する内容の「英中共同宣言」を一九八四年に結びながら、まだ二三年間しか経ていない今、その自治を公然と剥奪するような香港国家安全維持法を制定し、施行に移した。英国との間で結んだ合意への露骨な侵犯であることをなんとも思わない。

さらに中国内の新疆ウイグル自治区やチベット自治区では自治権を声高らかに主張するものを容赦なく強制収容所へ送り込む。しかも台湾の蔡英文政権を独立勢力と決めつけ、軍事侵攻も辞さずと軍事圧力をかける。相手国に対しては国際法違反を公然と行い、自国内で企てている人権侵害を外部世界から批判されると、内政干渉として猛然と反駁する。一九四九年の中華人民共和国の建国から何も変わっていないところである。米国による関与によって中国共産党は変わりうるとした仮説が誤っていたとポンペオが指摘したとおりである。

ポンペオは「われわれは中国を他の国のように普通の国として扱うことはできない」と指弾し、中国に対する関与政策からの決別を宣言した。(68)先端ＩＴ技術について、これまで中国共産党は実に巧妙に自由主義世界に入り込み機密や技術を盗み出してきた。米国はこれまで余りにも無防備すぎた。これが今日の問題を生起させていると、ポンペオは力説した。ポンペオによれば、「われわれは、中国共産党が背後にいる企業とのビジネスが、例えばカナダの企業のものと違うことも知っている。……よい例がファーウェイである。我々はファーウェイを無垢な通信機器企業として扱わない。安全保障への真の脅威として相応の対応をとっている。(69)」

続いて、ポンペオはその実態に踏み込む。ポンペオ曰く、「われわれは中国からの学生や会社員がすべてただの学生や会社員ではないことを知っている。その多くが知的財産を盗み、中国に持ち帰るために来ている。[70]」

ポンペオは今、自由主義諸国が行動を起こさなければ手遅れになると警鐘を鳴らす。そのために、米国は様々な分野ですでに行動を起こしていると力説した。その際、米国が行っていることから始めようと、ポンペオは自由主義諸国に向けて連携を呼び掛けた。[71]

ポンペオが言うとおり、このままでは自由と民主主義が遠からず奪われようとしている。これに対し、自由主義諸国は連携して対処しなければならない。コロナ禍の下で習近平が世界から責任を厳しく問われている状況の下で、それまで身に着けていた衣を脱ぎ捨てその本性をあらわにしている感がある。今、世界が目撃しているのが中国共産党、習近平という指導者の真の姿なのでなかろうか。

第三章　盗まれた大統領選－二〇二〇年米大統領選の真相

1　二〇二〇年米大統領選の結末

二〇二〇年一一月三日の米大統領選を目前に控え、大手メディアや世論調査機関はトランプ候補の劣勢ばかりを伝えていた感があった[1]。そのトランプ候補が一〇月二日に新型コロナウイルスに感染し入院したことで、万事休すと誰もが感じた。七四歳と言うトランプ氏の年齢などを踏まえれば、これで大統領選は終わったと思わざるをえなかった。しかし類まれな頑健な体の持ち主なのであろうか。医師団に投与された薬がよほど効いたのであろうか。四日間で退院し、選挙運動を再開するという展開は想定外であった。ホワイトハウスに戻るや否や、支持者を集めバルコニーから怪気炎をあげると、一〇月一二日にはフロリダでの選挙運動を再開させた。

多数の世論調査機関による一般投票の予想ではトランプ候補はバイデン候補に一〇ポイント近く離されていた。とは言え、米大統領選の勝敗は有権者が投票する得票の単純集計である一般投票だけでは決まらない。大統領選の勝敗を最終的に決するのは各州の人口比に基づき各州に割り当てられた選挙人の数である。選挙人の合計はわずか五三八人であり、その過半数である二七〇人以上を獲得した候補者が当選する仕組みになっている。しかも「勝者総取り方式（Winner-take-all）」と言われるとおり、各州での一般投票において一票でも多く獲得した候補者がその州に割り当てられた選挙人を文字通り、総取りするという方式が採用されてきた。

このため、一般投票で敗れた候補者が選挙人投票で逆転勝ちする事例がこれまで幾度となく起きてきた。二〇一六年一一月の大統領選挙でも大どんでん返しが起きた。下馬評でヒラリー・クリントン候補の圧倒的優勢が伝えられていた中で、トランプ候補の勝利を予想したのはTrafalgarなどほんの一部の世論調査機関だけであった。実際にヒラリー候補はトランプ候補に一般投票で三〇〇万票以上の大差を付けた。ところが、選挙人数で過半数の二七〇人にヒラリー候補が届くことはなかった。何と二七〇人に届いたのは劣勢が伝えられていたトランプ候補であった。一般投票で三〇〇万票以上も多くの票をヒラリーが獲得していながら、五三八人の選挙人ではトランプ候補が三〇〇人以上の選挙人を獲得したのである。

このことは、候補者同士が激しく拮抗する、いわゆる激戦州の多くを僅差であったが、トランプ候補が制したからに他ならなかった。実際に勝敗の鍵を握った激戦州は中西部の

「ラストベルト（rust belt: 錆びた地帯）」と揶揄されるペンシルベニア（選挙人数：二〇人）、ウィスコンシン（選挙人数：一〇人）、ミシガン（選挙人数：一六人）などであった。これらの州の一般投票でトランプ候補はヒラリー候補を一％以下の僅差で抑えて、各州に割り当てられた選挙人を総取りしてしまった。「ラストベルト」と呼ばれる各州は長らく米国の製造業を支えてきた州であり民主党が伝統的に優勢を誇った州であったが、グローバル化の波から最も打撃を受けている地域でもある。「アメリカを再び偉大にする」というシンプルなキャッチ・フレーズの下で失業問題などで苦しむ有権者の心をトランプ候補は掴んだ。激戦州を制することしか勝機はないと見たトランプ候補は選挙直前までこれらの州で重点的に選挙活動を展開していた。

あれから四年、何が変わったのか。好調な経済を背景にトランプの再選は確実視されていた。ところがトランプの再選のシナリオを狂わしたのは新型コロナウイルスの爆発的感染拡大であった。米国内の感染者数と死者数は世界でも突出していた。米国内でコロナウイルスへの初動対応が誤っていたとして猛烈な非難がトランプに集中した。こうしたこともあり、二〇二〇年一一月三日の大統領選でトランプ候補が大苦戦を強いられたことは周知のとおりである。

後に明らかになるが、同大統領選の一般投票ではトランプ候補は約七四〇〇万票を獲得した一方、バイデン候補は約八一〇〇万票を獲得したとされる。しかも各州で獲得した選挙人数はバイデン候補が三〇六人、トランプ候補が二三二人であった。選挙人数でバイデンが過半数の二七〇人を大きく上回ったのは、ジョージア（選挙人数：一六人）、ペンシルベニア、ミシガン、ウィスコンシン、アリゾナ（選挙人数：一一人）、ネバダ（選挙人数：六人）など鍵を握るとされた激戦州でことごとく勝利を収めたからであった。ところが、まもなくしてこれらの問題の激戦州において勝敗を覆しかねない大規模な不正が企てられていたことが発覚したのである。[2]

2　盗まれた米大統領選

不正はなかったと断言する大手テレビ局

一一月三日の大統領選の投票日からまもなくして、大手テレビ局のキャスター達が大統領選において不正が一切なかったと、異口同音で大声を張り上げた。[3] そうした映像をみると、不正がなかったと各局のキャスター達が何故、断言したのか違和感を覚えざるをえない。不正が全くなかったと断言すればするほど、不自然さを感じざるをえなかった。

疑惑の始まり

その後、時間が経過するに連れ、不正はなかったとする報道を反証するかのように、不正を裏付ける証拠が次々に挙がり出した。想像をはるかに凌ぐ規模で深刻な不正が行われていたのである。とは言え、大統領選で不正が大々的に行われたことは米国だけでなくわが国のメディアも報道していない。これがさらに不自然さを助長させた。多少の不正があったとしても特段、不思議でないものを一切、不正がなかったと言い切るのは何故なのか。そこまで不正を隠すのは一体、何故なのか疑問に感じざるをえない。

大手メディアが全く報道しないとは言え、大規模の選挙不正が行われたことが知れわたったのは、トランプ大統領が膨大な件数の不正が行われたと連日、ツイッターに書き込み続けたことが大きい。これと並行するかのように、保守系メディアの「フォックス・ニュース」、OANN、NEWSMAXなどが不正に関する報道を発信し続けた。この結果、大統領選であからさまな不正が堂々と行われたことが米国民の多くの知るところになったのである。

一一月三日の投票終了を受け開票が始まった当初、問題の激戦州のミシガン、ウィスコンシン、ペンシルベニア、ネバダ、アリゾナ、ジョージアにおいてトランプ候補が大きくリードしていた。ところが、現地時間の四日の未明（日本時間では四日の午後過ぎ）からトランプ候補のリードが急に鈍くなり、バイデン候補の猛烈な巻き返しが始まった。まもなくこれらの激戦州のトランプ候補のリードはいつの間にか消え、逆にバイデン候補の逆転が始まり、その差は徐々に広がり始めた。

それにしても現地時間の深夜の一定の時間に尋常でない大量票がバイデン候補に流れていたことが明らかになるにつれ、ただ事ではないことが起きたことに疑義が発せられることになった。特に、ウィスコンシンで四日の午前三時四二分（現地時間）に一四万三三七九票が一挙にバイデン候補に入った(4)。これを映し出したグラフをみると、この瞬間にバイデン票は突如、垂直的な伸び方をしていたことがわかる。結果的に、このときに投じられた大量票が同州での勝敗を決した。選挙人一〇人のウィスコンシンの最終結果はバイデン候補の獲得票数が一六三万六七三票であり得票率は四九・五％であった一方、トランプ候補の獲得票数は一六一万六五票であり得票率は四八・八％であった(5)。両者の得票差は二万六〇八票に過ぎなかったことを踏まえると、上記の一四万三三七九票の大量票がほぼ完全に勝敗を決したと言っても過言でない。

またミシガンでは四日の午前六時三一分（現地時間）に一三万四八八六票の大量票がバイデン候補に入った。[6] 選挙人一六人のミシガンでのバイデン候補の獲得票数は二八〇万四〇四〇票であり得票率は五〇・六％であった一方、トランプ候補の獲得票数は二六四万九八五二票であり得票率は四七・八％であった。[7] 両者の得票差は一五万四一八八票であった。上記の一三万四八八六票が一挙にバイデン候補に入ったことがミシガンでの勝敗を大きく左右する格好となった。

不正を訴える内部告発者達

一〇〇万以上の票がバイデン候補に一挙に入ったことを不自然とみたトランプは大規模不正によるに違いないと疑った。トランプ陣営はまもなく大規模の不正が確実に行われたと判断し、ジュリアーニ（Rudy Giuliani）（元ニューヨーク市長）氏を筆頭するトランプ弁護団（Trump Legal Team）を結成し、独自の調査を開始した。当初、トランプ候補の悪あがきとしてメディアから冷たくあしらわれたことは周知のとおりである。しかしトランプ弁護団は本気であった。まもなく百人を優に超える内部告発者達を見つけ出し、ペンシルベニア、アリゾナ、ミシガン、ジョージア、ネバダなどで各州の議員が出席する公聴会を開催するに至った。これだけの短期間で選挙不正に関する公聴会を開催し、大規模不正にまつわる事実を広く知らしめた弁護団の活躍は目を見張るものがあった。

これらの州で開催された公聴会で証言者達は偽証罪を覚悟の上で数々の不正を告発した。告発することで得るものよりも失うものがはるかに大きいと考えられるにもかかわらず、彼らは堂々と証言した。大統領選で許されがたい不正が行われたことを伝えなければならないとの正義感が彼らをそうさせたのであろう。彼らの勇気と正義感には驚かざるを得ない。証言者による告発はにわかに信じがたいものであった。しかも公聴会をＯＡＮＮなどのネットワークが生放送で数時間にわたり放送し続けたことにより、多くの米国民が不正を目にすることになった。この結果、ありとあらゆる数々の不正があからさまに行われていたことが公になったのである。

ジョージアの集計場での不正現場を捉えた監視カメラ映像

中でも一一月四日の深夜にジョージアの集計場で起きていた不正を映し出した監視カメラの映像ほど、見る者を唖然とさせるものはない。[8] 告発者の証言によると、集計場で集計作業が終了したことを受け、午後一〇時過ぎに監督者が選挙立会人を帰宅させた。ところが、四、五名の選挙関係者がそのまま残り、テーブルの下から大量の票を取り出し、集計機に同じ票を繰り返し入れていた様子が集計所に設置された監視カメラに映し出された。

前後する時間帯でアトランタ、フィラデルフィア、デトロイト、ミルウォーキーなど大都市の集計場で同じ手口で同様の不正が行われたと、ジュリアーニは語った。(9) この結果、ウィスコンシンやミシガンの開票集計グラフでこれを反映するかのように、バイデン候補の獲得票が不自然とも言える垂直的な伸び方をしたことは既述のとおりである。トランプは一二月九日に「彼らが考えていたより我々が大きく投票でリードしたため彼らは見つかった。深夜に彼らは狂ったように大量の票を入れ込んだのだ」とツイッターに書き込んだ。(10)

郵便投票による大規模不正

こうした重大な不正事件とは別に、空前規模の郵便投票による不正が野放しで行われていた。郵便投票が不正の温床になることは以前から指摘されていたが、それが現実になってしまった。新型コロナウイルスへの感染対策を口実に各州が大々的に郵便投票を実施することを決めた。しかし郵便投票自体が問題であったというより、その実施方法が全くいい加減であったところに問題があった。投票用紙の入った封筒を開封する際に投票が本人によるものであるかどうか確認する照合が必須であるにもかかわらず、問題の激戦州の集計場の多くでは本人確認が何故か、ほとんど行われていない。これでは不正を行うことを意図して本人確認をあえて行わなかったと言わざるを得ない。

選挙人一六人のジョージアでのバイデン候補の得票数は二四七万三六三三票で、得票率は四九・五％であった一方、トランプ候補の得票数は二四六万一八五四票で得票率は四九・三％であった[11]。その獲得票差は一万一七七九票であった。ジョージアにおける郵便投票に伴う不正をトランプは殊の外、問題視した。そもそも郵便投票で投票が本人によるものであるか確認する署名を照合しないで票をカウントすること自体が不可解な話であるが、今回の選挙ではおびただしい数の郵便投票の署名が照合されなかったとされる。トランプは郵便投票の署名を幾度となく照合するようケンプ（Brian Kemp）ジョージア州知事（共和党）に強く要求した。トランプは照合を通じ勝敗は逆転できると確信していたが、ケンプはトランプの求めに決して応じようとはしなかった。これに怒ったトランプは一二月六日にツイッターに書き込んだ。「ケンプ州知事と州務長官が簡単な署名照合を行っていれば、私はジョージアで簡単に勝てただろう。ケンプはそれをしていないため、大規模の不整合が生じている。何故、この二人の「共和党員」が署名照合を拒むのか。もし我々がジョージアで勝利を収めれば、すべてがうまく行くのに。[12]」

ビナルによるネバダでの郵便投票不正の暴露

ネバダは選挙人六人の比較的選挙人が少ない州であるが、ここでの不正の実態が明らかにされた。バイデン候補の獲得票が七〇万三四八六票で得票率は五〇・一%であったのに対し、トランプ候補の獲得票は六六万九八九〇票で得票率は四七・七%であった[13]。両者の票の差は三万三五九六票である。ところが、一二月一六日にトランプ弁護団のビナル(Jesse Binnall)氏がネバダ州の不正について上院の公聴会で驚くべき証言を行った[14]。

ネバダにおける不正はほとんどが郵便投票に関連する不正であったと言える。ビナルの証言によると、二回以上投票した事例が四万二〇〇〇件以上に及ぶ。既に亡くなった人が投票したとされる事例が約一五〇〇件に達する。同州の居住者でない人が投票した事例が約一万九〇〇〇件を数える。架空の住所登録を使い投票した事例が約八〇〇〇件に及ぶ。実際に居住者のいない商業施設の住所を登録し投票した事例が約一万五〇〇〇件を数える。

外国人が投票した事例は約四〇〇〇件に及ぶ。ビナルによると、不正件数は一三万以上に達することから、ネバダでの勝敗は簡単にひっくり返る。この調子で他の激戦州で不正が行われたとすれば、二〇二〇年大統領選の勝敗が覆ることになりかねない。

「ドミニオン」集計機の暗躍

加えて、疑惑の中心となったのが「ドミニオン（Dominion）」という悪名高い集計機である。ジョージアの大部分の投票所で使われ、トランプ候補の獲得票の一部がバイデン候補の票に読み替えられる仕組みになっていたことが明るみになった。トランプはこの点に触れ、ツイッターに「ドミニオン集計機はトランプ票の二から三％をバイデンに移し替えた。これは選挙結果を変えるに必要な数字よりもはるかに多くの票である」と書き込んだ(15)。ジョージアで大々的にドミニオンが使われた他、ミシガン、ペンシルベニア、ウィスコンシン、ネバダ、アリゾナの一部でも使われたとされる。その後、各州で使用されたドミニオンの調査が進んでおり、その実態が少しずつ明らかになりつつある。こうした不正は実際に行われた不正の全容からすれば「氷山の一角」に過ぎないであろう。

3 「ナバロ・レポート」の衝撃

またこの間、共和党の連邦議員達は選挙不正について激しい批判を行った。一二月一六日に開催された上院国土安全保障・政治問題委員会の公聴会において、ジョンソン（Ron Johnson）上院議員（委員長）は大統領選で大規模かつ深刻な選挙不正が行われたと厳しく追及した。(16) 公聴会ではジョンソン委員長がピーターース（Gary C. Peters）上院議員と激しく言い争う場面もあった。公聴会後、ジョンソン氏は「米国民の大部分はこれが正当な選挙であったと考えていない。わが国にとってもはや看過できる状況でない」と言明した。(17) ジョンソンの言葉は誠に重い響きを持っている。

しかもここにきて不正に関する衝撃的な報告書が刊行され、その内容が議員や米国民に少なからずの衝撃を与えた。一二月一七日にナバロ（Peter Navarro）大統領補佐官は大統領選の不正に関し六つの観点から分析した「ナバロ・レポート（The Navarro Report）」を公表した。(18) 同報告書によると、問題の六つの激戦州で勝敗を覆す不正が行われた。六つの観点とは、一．明白な不正投票、二．投票の不正な取扱い、三．異議ある不正プロセス、

四．正当な手続き条項により保証される権利に対する違反、五．集計機の異常発生、六．統計上の大規模異常などであった。

「ナバロ・レポート」によると、激戦州の不正件数は想像を超える規模に及ぶ。アリゾナでの両候補の獲得票差は一万四五七票であるが、不正件数は一〇万件以上に達するとされる。ジョージアでの獲得票差は一万一七七九票であるが、不正件数は四〇万件以上に及ぶとされる。ミシガンでの獲得票差は一五万四一八八票であるが、不正件数は不明である。ネバダでの獲得票差は三万三五九六票であるが、不正件数は一〇万件を超えるとされる。ペンシルベニアでの獲得票差は八万一六六〇票であるが、不正件数は六〇万件以上とされる。ウィスコンシンでの獲得票差は二万六八二票とされるが、不正件数は二〇万件以上に達するとされる。

これまで断片的に伝えられてきた不正件数を合算すれば、同報告書にあるとおり、空前規模で不正が行われたと推察される。もしそうであるとすれば、大統領選の勝敗が確実に覆ることになる（「ナバロ・レポート」の推察のとおりであるとすれば、トランプが獲得した選挙人は過半数の二七〇人をはるかに超える二九五人となる）。大統領選は盗まれたと言うべきであろう。

選挙不正に関する世論調査

未曾有と言うべき規模の深刻な不正が行われたことは少なからずの米国民の間では公然とした事実である。二〇二〇年一二月六日から九日に行われた「フォックス・ニュース」による世論調査は選挙不正に対する米国民の認識を正確に示している。（ほとんどの大手メディアは不正など全く行われなかったとする立場から、不正についての世論調査がそもそも存在しないのが実際である。）上記の世論調査によると、「大統領選はトランプから盗まれた」とみる世論は驚くべき数字を示した。それによれば、全体では三六％、トランプ候補への投票者では七七％、共和党員では六八％、無党派層では二六％、民主党員では一〇％が大統領選は盗まれたとみている。(19) 米国民の相当数が大統領選で勝敗が覆るほどの大規模かつ深刻な不正があったと認識していることは尋常な事態ではない。

4　不正選挙とメディアの沈黙

「フォックス・ニュース」などを始めとする保守系メディアを除けば、大手メディアは二〇二〇年米大統領選直後から今日まで選挙において不正は一切なかったという姿勢を堅持している。[20] 不正は一切なかったのか。それとも、米国民の相当数が感じているとおり、大規模不正が実際に行われたのか。もしそうであるとすれば、不正はなかったとする虚偽の情報をメディアが意図的に流したことになる。そうであるとすれば、何故なのか。この問題を突き詰めていけば、二〇二〇年大統領選の深層に潜む暗部に突き当たらざるをえない。大規模不正があったとすれば、当然のことながら実行犯達がいて、その背後には首謀者がいるはずである。そして彼らを庇っている者達がいることになる。

不正の全容が解明されるには時間がかかるであろうが、上記の激戦州で明らかに勝敗を左右する程の大規模な不正が行われたと少なからずの米国民が感じていることは確かである。これに対し、トランプは選挙不正を行ったものに政権は譲れないと、一二月一一日にツイッターに書き込んだ。トランプ曰く、「各激戦州で何十万票もの合法票で負けた者にどうして勝利を与えることができるのか。正統性を持たない大統領がどうやって国を運営するというのか。[21]」

大統領選の勝敗を確実に覆すような大規模な不正が行われたとすれば、誰かが不正を実行したことを物語る。それでは一体誰が不正を行ったのか。不正がバイデン票の獲得につながった点を考慮すれば、各激戦州の民主党関係者達が一番先に疑われることになろう。しかも後述するとおり、激戦州の主要都市の集計場で一一月四日の深夜に実行されたとみられる不正事件は前々から周到に準備された組織的な犯罪に間違いなく、いわば同時多発的に起きていることを踏まえると、司令塔と言うべき首謀者が存在したはずである。また郵便投票を巡る不正について幾つかの決まった類型がみられることから、各激戦州の民主党関係者達がばらばらに行ったとしても、中央からの指示に従い実行されたとみられる。この点に触れ、一二月七日に「フォックス・ニュース」の番組で、トランプ弁護団を率いたジュリアーニは首謀者について「ワシントンの何者か（somebody in Washington）」と口を滑らしてしまった。(22) ジュリアーニは首謀者が誰なのかおおよそ見当をつけているのであろう。

不正選挙の原点－二〇一六年大統領選

今回の大規模不正事件の起点となったのは二〇一六年の大統領選でトランプがヒラリー・クリントンに対し奇跡と言える勝利を収めたことに遡ると言えよう。トランプの勝利は敗れた側にとっても勝った側にとっても想定外であったと言えよう。激戦州、特にラストベルトと呼ばれるペンシルベニア、ミシガン、ウィスコンシン三州での想定外と言うべきトランプの勝利が大統領選を制することにつながった。これをもたらしたのはこれら三州での選挙戦に対するトランプ陣営の優れた読みとトランプの精力的な選挙活動であったと言える。これに対し、圧倒的優勢が伝えられていたヒラリーはこれらの三州で確実に勝てるものとして少なからず油断していた節があった。言葉を変えると、ヒラリーの気の緩みが招いた大誤算であったと言える。

それ以降、トランプを忌み嫌う民主党陣営にとって二〇二〇年大統領選挙で同氏を何としてでも大統領の座から引きずり下ろすことが合言葉になったのであろう。そのために手段は選ばない。どのような代償を払おうと、トランプをホワイトハウスから追い出すことが至上命令になったのであろう。このことが二〇二〇年大統領選の大規模不正につながったのではないか。目的のために手段を選ばないというやり方は常軌を逸した数々の不正に結び付くことになったと言えよう。

民主党陣営に思わぬ追い風となったのは新型コロナウイルスの米国内での爆発的な感染拡大であった。同ウイルスへの初動対応に躓いたとしてトランプは米国内で散々、叩かれたが、それ以上にトランプに痛手となったのはコロナウイルスへの対策という大義名分で郵便投票が大々的に実施されたことであろう。（実際に約六五〇〇万票とされる投票が郵便投票で行われたとされる。）しかも問題の激戦州の多くで郵便投票の署名照合さえも行われないという、通常では考えられないことがまかり通ったとされる。その結果、投票を行ったものが誰なのか不明のまま、ほとんどすべての郵便投票がカウントされてしまったのである。

また上記した一一月四日の深夜に激戦州の大都市の集計場で実施された不正事件はれっきとした重大犯罪である。民主党関係者が深夜まで集計場に残りバイデン票を増やすため何度もバイデン票を集計機に入れるといった不正の一部始終がジョージアの集計場に設置された監視カメラに映し出された映像ほど衝撃を与えるものはない。

さらにジョージアを始めとして激戦州の多くで、悪名高い「ドミニオン」という集計機が使われ、トランプ票の一部をバイデン票に読み替えるといった狡猾な犯罪も行われた。

選挙不正に対するＦＢＩと司法省の無関心

一九七二年六月にニクソン陣営の工作員が民主党本部のあるウオーターゲート・ビルに盗聴器を仕掛けようとしたことが発覚して、最終的に七四年八月にニクソン氏は大統領辞任に追い込まれたが、ジョージアの集計場で監視カメラに捉えられた不正現場の映像は、「ウォーターゲート事件」が小さく見えるような重大犯罪である。本来であれば、ＦＢＩや司法省が血眼になり捜査しなければならないはずの事件に対し、ＦＢＩも司法省も全く動かなかった。これに対し、怒り心頭なトランプは一二月二六日に、「圧倒的な証拠があるにもかかわらず、「司法」省とＦＢＩはわが国の歴史で最大の不正である二〇二〇年大統領選挙の不正投票について何もしない。彼らは恥を知れ。歴史はこれを忘れないだろう。……」とツイッターに書き込んだ[23]。政府機関であるはずのＦＢＩや司法省も反トランプであったということであろう。

不正に沈黙する大手メディア

大統領選でバイデンが勝利を収めたことが判明すると、大規模不正をいかにもみ消すかが死活的な課題になった感がある。ここで登場するのが大手メディアの出番であったのではないか。投票日直後から不正など全くなかったと大手メディアがこぞって連呼したのには、こうした背景があったのであろう。大手メディアは選挙不正の報道を一切行っていないが、それをどう思うか聞かれると、上述のジュリアーニはメディアの「バイアス、腐敗、怠慢」であると断じた(24)。

しかし、そうした大手メディアの誤った姿勢が米国民の多くに計り知れない違和感を与えることになった。と言うのは、大手メディアが不正を隠そうとしたが、この間、保守系メディアが使命感に駆られたかのように不正事件の数々を連日のように報道し続けたからである。大手メディアは米国民をどのようにでも操れると考えているかもしれないが、彼らが思っているほど米国民は単純ではない。それが不正についての上述の世論調査につながっているのであろう。大規模不正が蔓延した今回の大統領選挙は米国の歴史に癒すことのできない禍根を残すことになったことは明らかであろう。しかも今回、米国民の多くは大手メディアの報道が信用と信頼に足るものなのか否か、真剣に考えさせられる契機になったと言える。

世論調査機関の偏向

振り返ると、二〇二〇年大統領選前から大手メディアを含め世論調査に関わった関係機関の予想は多かれ少なかれおかしかった。Trafalgar など一部の世論調査機関を除けば、世論調査機関の多くは選挙前にバイデン候補の優勢ぶりを有権者に印象付けようとしていた感がある。大統領選の一般投票に関する世論調査によると、投票日直前までバイデン候補がトランプ候補に対し一〇ポイント程度のリードを保っていたことを思い出す。これに対し、選挙後しばしば引き合いに出される大まかな開票結果にしたがえば、トランプの獲得票が約七四〇〇万票である一方、バイデンの獲得票は約八一〇〇万票に達するとされる。(25)結果的に、一〇ポイント・リードとした上記の世論調査が見事に的中したと言うことになるのかもしれない。しかし、必ずしも喜んでばかりいられない。と言うのは、バイデン候補が獲得したとされる約八一〇〇万票の中におびただしい数の不正票が含まれるとみられるからである。

二〇一六年大統領選挙でヒラリー・クリントン候補の勝利を予想したほとんどの世論調査機関は選挙後、トランプ候補の勝利を予想できなかったとして激しく叩かれ、反省と改善を迫られた。あれから四年、反省がなされ改善が行われたはずであったが、今回の選挙結果を踏まえ、世論調査機関はどのような総括を行うであろうか。激戦州での膨大な件数に上るとされる不正を踏まえると、トランプが主張するとおり、激戦州の多くにおいて勝利を収めたのはバイデン候補ではなくトランプ候補であった可能性が高い。言葉を変えると、バイデン候補の勝利を予想した各世論調査機関の予想は実際にはまたしても外れたと言うべきであろう。と言うよりは、世論調査機関は有権者にバイデンが勝利することを印象付けるべくいい加減な統計を行ったかもしれない。一部の世論調査機関を除けば、それほど予想は偏向していた感がある。(26)

米国の民主主義の行く末への危惧

こうした状況のままでは、米国の民主主義の行く末が真剣に案じられる。その責任は不正、腐敗、汚職に塗れた政治家だけに帰着するものではない。大手メディアなどが果たすべき責任と役割を履き違えてしまい、米国民を誤った方向に誘導しようとしているからに他ならない。大手メディアの傲慢さと驕りからは、米国民をまるで情報操作の対象としかみてないかのような印象さえ受ける。しかも誘導されているはずの米国民がメディアの犯している間違いに気づいているのであるから症状は重いと言うべきであろう。

もう一つ謎なのはトランプを含め、トランプ陣営は一一月三日の大統領選で大規模の不正が企てられたことを事前に気づいていなかったのであろうか。投票日直後のトランプの会見を見る限り、不正に気付いていた様子は全くなかった。言葉を変えると、民主党陣営が企てた今回の大規模不正事件はジュリアーニが言うとおり、「周到に準備され、見事に実行された」ことになる。[27]

無関心を装う連邦最高裁（二〇二〇年一二月一一日）

不正を暴く数々の調査が多数の米国民や米議員達に衝撃を与えたとは言え、二〇二〇年大統領選の結果を覆すまでには至らなかった。一二月上旬にテキサスとそれに同調する十数州がジョージア、ペンシルベニア、ミシガン、ウィスコンシンの四州を選挙ルール違反や選挙不正があったとして連邦最高裁に訴えたが、「原告適格」がないとして全く相手にされなかったことは周知のとおりである。[28] このことは大統領選の結果を覆すことがいかに至難であるか逆に立証することになったと言えよう。

選挙人の確定（一二月一四日）

一二月一四日に全米の各州政府において州政府選出の選挙人の投票が行われた結果、各候補が獲得した選挙人数はバイデン候補が三〇六人、トランプ候補が二三二人と正式に確定した。[29] この結果が二〇二一年一月六日開催の米上下両院合同議会に送付され、同議会で選挙人認定に従い選挙人投票を数え、ペンス副大統領（上院議長）が次期大統領を正式に発表する運びとなった。

米上下両院合同議会での異議申立て（二〇二一年一月六日）

とは言え、大規模不正を受け、二〇二一年一月六日の両院合同議会でバイデンを次期大統領とする選挙人認定に対し異議申立てが行われた。下院議員による異議申立てはこれまでも行われてきた。二〇〇〇年大統領選に続き、二〇一六年大統領選においても下院議員による異議申立てがあった。とは言え、州政府が確定した選挙人認定を棄却するためには下院議員の異議申立てに呼応して一人以上の上院議員が異議を申し立てる必要があった。これまで上院議員が異議を申し立てた事例はなかったとされる。今回、ブルックス（Mo Brooks）下院議員が両院合同議会で異議を申し立てることを明らかにすると、[30] これに呼応してタベルヴィル（Tommy Tuberville）次期上院議員が異議を申し立てる意思があると示唆した。[31] 続いて、ハウリー（Josh Hawley）上院議員が異議を申し立てると手を挙げた。[32] これが多くの下院議員を動かすことになった。その結果、一四〇人もの下院議員が異議申立てを行う流れにつながった。

しかもハウリー上院議員の異議申立ての動きに呼応する形で、クルーズ（Ted Cruz）上院議員を筆頭とする一一名の上院議員は選挙不正調査委員会の設置を提案する意思を表明した。[33] クルーズに歩調を合わせた上院議員にはジョンソン（Ron Johnson）、ランクフォード（James Lankford）、ダインズ（Steve Daines）、ケネディ（John Kennedy）、ブラックバーン（Marsha Blackburn）、ブラウン（Mike Braun）、ルミス（Cynthia Lummis）、マーシャル（Roger Marshall）、ハガティ（Bill Hagerty）、上述のタベルヴィル氏が含まれた。一月六日にクルーズとこれらの上院議員は超党派の選挙不正調査委員会を設置し、一〇日間で激戦州での不正の調査を行うことを提案するが、同提案が棄却されれば、異議申立てを行うと表明した。メディアに徹頭徹尾ないがしろにされたが、こうした上下両院の議員の動きは今回の大統領選がいかに深刻な問題を内包したかを物語った。

5　トランプ支持者達の議会襲撃事件

米連邦議会議事堂襲撃事件（二〇二一年一月六日）

いずれにしても、一月六日の米上下両院合同議会は次期大統領を決める最大の山場と目された。ところがそこで起きたのが前代未聞の事件であった。何と、合同議会の最中に熱狂的なトランプ支持者達の一部が米連邦議会議事堂を襲撃するという事態へと発展したのである。[34]

同日、トランプが同議事堂から近い場所でトランプ支持者達の大集会を開催していたが、これが大暴走を招く誘因となった。そもそもここに集まったトランプ支持者達は筋金入りのトランプ支持者達であった。これらの支持者の前でトランプが演説を行ったが、いつものトランプの演説とは少なからず違っていた。トランプの声は怒りに震えているように聞こえた。これには幾つかの伏線があった。

一つは前日の一月五日のジョージア上院議員選における二人の共和党候補の思わぬ敗退であった。トランプは選挙前日の一月四日に同州に乗り込み両候補の支援集会のための演説を行った。トランプには少なからずの勝算があった。パデュー（David Perdue）氏とレフラー（Kelly Loeffler）氏の二人の共和党候補にとっても勝算があった。しかし、二人の共和党候補は共に僅差ながら民主党候補に敗退するという結果となった。一一月三日の大統領選においてジョージアで四〇万件とも目される大規模の不正が行われたと推察した上記の「ナバロ・レポート」を踏まえると、一月五日の上院議員選においても不正が行われたとしてもおかしくなかった。上院議員選で不正が実際に行われたかどうか不明とは言え、疑問が残る結果であったと言えよう。

さらにトランプが一月六日の米上下両院合同議会に期待したのは上院議長を兼ねるペンス副大統領が上院議長の職権で、上記の下院議員と上院議員による異議申立てを受け、大規模不正があったとしてジョージア、ペンシルベニア、ミシガン、ウィスコンシンなどの州の選挙人の確定を無効とし、差し戻すという展開であったと考えられる。

これら四州の選挙人数の合計が六二人であることを踏まえると、もしも差し戻しが行われることがあれば、いずれの候補も過半数の二七〇人に到達しないことになったであろう。その場合、バイデンを次期大統領とした選挙人認定は棄却された可能性がある。トランプは最後にこの可能性を期待したのであった。トランプの書込みによると、「各州は、現在分かっている不正による投票と立法上の承認を受けていない腐敗したプロセスを修正したいと考えている。マイク・ペンスがしなければならないのは、州に差し戻すことである。われわれは勝つ。マイク、差し戻せ。非常に勇気を必要とする時である。[35]」

しかしこの可能性も水泡に帰した。ペンスがいくらトランプに忠実であるとしても、そうした行動に出ることはなかった。そうすると、トランプはペンスを厳しく批判した。トランプ曰く、「マイク・ペンスにはわが国と憲法を保護するためになすべきことを実行する勇気がなかった。……米国は真実を要求する。[36]」

この結果、トランプは文字どおり、「頼みの綱」を失うことになった。最後の望みを絶たれた絶望的状況の下でトランプは支持者達の前で大統領選での不正の事例を繰り返し呼び上げ、断固敗北を認めないと声を張り上げた。これに刺激を受けた形で、暴徒と化した支持者達が連邦議会議事堂を襲撃するという最悪の事態を引き起こしたと言えよう。その後、トランプが支持者達にツイッターで行動の自粛を呼び掛けた。「私は、米連邦議会議事堂のすべての人に平和を維持するよう求める。暴力ではない。われわれは法と秩序の党であることを忘れないでほしい。[37]……」

しかし、すでに遅すぎた。一月六日に勝利を手繰り寄せるどころか、自ら墓穴を掘る大暴走を招くことになったと言える。民主党側にとってみれば、トランプ支持者達による議会襲撃事件は「飛んで火に入る夏の虫」の暴挙であったと言えよう。彼らからすれば、大統領選での大規模不正に激高したトランプが最後に自ら墓穴を掘ってくれたのであるから、これほど痛快な展開はなかったと言えよう。また肝心の上下両院議員達による異議申立ての動きもこの事件でかき消されることになった。

選挙不正の全容解明の必要

今回の議会襲撃事件で、トランプが二〇二四年大統領選の有力候補に向けて仕切り直しできるかどうかも疑わしい状況を招いてしまったと言える。しかし、かりにトランプが今後、政治の舞台から退場することがあっても、二〇二〇年大統領選が残した禍根は決して消えることはないであろう。これまで選挙不正の輪郭が明かになったとは言え、その全容解明が急がれるところである。なによりもトランプは自身の名誉と誇りを取り戻すために不正の全容解明に全身全霊を傾けるであろう。またトランプ弁護団の団長を務めたジュリアーニも同じ思いであろう。

一月六日に上下両院合同議会で異議を申し立てた米上院議員の中には、クルーズなど次期大統領候補を目指す議員もいるであろう。彼らからすれば、二〇二〇年大統領選での大規模不正の標的となったのはトランプであったが、四年後は自らが不正の標的となるとも限らない。言葉を変えると、彼らにとって「明日は我が身」となりかねない。その意味でも、選挙不正の全容が白日の下にさらされなければならないというのが彼らの思いであろう。

選挙不正の全容解明が行われないままでは、二〇二四年大統領選で不正が行われないという保証は全くないと言えよう。クルーズが一月六日の両院合同議会で超党派の選挙不正調査委員会の設置を求めた背景にはこうした理由もあろう。しかも二〇二〇年大統領選で民主党側によいように不正を企てられたことを踏まえると、二〇二四年大統領選において共和党側も黙ってもいない可能性があろう。最悪の事態として、次期大統領選で両陣営があらんかぎりの不正を企てるようなことがあれば、今回以上の大混乱を招くことは必至であろう。

今回、米国の民主主義は地に落ちかけたが次期大統領選においてまたしても大規模不正が繰り返されることがあるようでは、米国の民主主義は根底から崩れかねない。不正によって勝者が決まるようでは、そもそも選挙の存在意義が真剣に問われよう。民意を問う上で最良と言えないまでも妥当な手段が選挙であるはずである。その選挙は公正に行われて初めて成立する。ところが、選挙で大規模な不正が横行し不正を通じ勝利を収めたものが国民の代表として選出されるという現実がまかり通るようでは、選挙そのものにもはや正統性はない。今後、そうした事態を回避するためには、今回の大統領選で企てられた不正の全容解明が急がれるのである。

6　トランプ弾劾裁判

トランプ弾劾裁判の票決 - トランプ無罪

二〇二一年二月一三日に米上院においてトランプの弾劾裁判の票決が行われ、トランプはかろうじて無罪となった[38]。事の発端は、一月六日に米上下両院合同議会が開催されていた米連邦議会議事堂の近くでトランプが熱烈なトランプ支持者達を集め、二〇二〇年大統領選での大規模不正について繰り返し訴え、断固敗北を認めないと声を張り上げると、これに焚きつけられた格好で暴徒と化した支持者の一部が同議事堂を襲撃するという事態へと発展したことは周知のとおりである[39]。

この機会を逃すまいと民主党議員達はトランプを一気に弾劾しようと画策した。議会襲撃事件を受け、一月一三日に民主党が多数を占める下院でトランプを弾劾訴追する決議案が可決された[40]。下院でのトランプの弾劾訴追を受け、上院での弾劾裁判は二月九日に開始され、五日間で結審となった。弾劾裁判で争点となったのは、トランプが支持者達による議会襲撃を扇動したかどうかであった。百人からなる上院で三分の二以上に当たる六七人以上が有罪に投票すれば、弾劾は成立するところであった。票決は有罪が五七人、無罪が四三人であった。[41] その内訳は民主党議員五〇人全員が有罪に投票した一方、共和党議員で有罪に投票したのは七人に止まった。これらの共和党議員はロムニー（Willard Romney）氏などトランプと日頃から仲の悪い議員達であった。トランプはかろうじて弾劾を免れたと言うべきであろうか。

無罪の評決を受け相変わらず強気のトランプは「米国を再び偉大にする歴史的、愛国的で素晴らしい運動は始まったばかりだ」と政治活動の再開を強く示唆した。[42] これに対し、バイデンは「自分達の歴史におけるこの悲しい一章は民主主義がもろいことを私達に思い出させた」と述べたが、二〇二〇年大統領選で「民主主義がもろい」ことを実証したのはバイデンでなかったろうか。[43]

民主党議員達の狙い－トランプの政界追放

ところで、民主党議員達の狙いはトランプを弾劾に追い込み、同氏の政治生命を絶つことにあったと言える。無罪評決により民主党議員達の目論見は失敗に帰したとは言え、一月六日の議会襲撃事件が米国の歴史に刻まれる不祥事になったことは明らかである。トランプは一体何を考え、あの日、あの場所で、あの人達を集めて、あの集会を開いたのか。トランプが二〇二〇年大統領選においてジョージア、ペンシルベニア、ミシガン、ウィスコンシン、アリゾナ、ネバダなど幾つかの激戦州で企てられた大規模不正の標的となったことは確かであるとしても、一月六日の不祥事はトランプの見識を疑わせるものである。

本来であれば、一月六日は米上下両院合同議会において今回の大統領選が大規模選挙不正により著しく歪められたことを審議できる日であった。大手メディアはほとんど伝えなかったが、一月六日の合同議会に向けて少なからずの共和党議員はバイデンを次期大統領とする認定を棄却するための異議申立ての準備を進めていた。合同議会でバイデンの次期大統領認定が棄却されかねない可能性が全くなかったわけではない。

一四〇人もの共和党下院議員が異議申立てを行ったのに加え、一〇人を超える共和党上院議員も異議申立てを行った。しかもクルーズを筆頭とする上院議員達は超党派の選挙不正調査委員会の設置を求める提案を行った。少なからずの共和党の上下両院議員がバイデンの次期大統領認定に異議申立てを行った事実は重い。これほどの数の議員が異議申立てを行ったことは実際に大規模不正が企てられたと、これらの議員達が確信していることを物語る。彼らにとってみれば、一月六日はバイデンの認定が棄却されないまでも、大統領選で大規模不正が企てられたことを合同議会で広く周知できる機会であった。しかし暴徒達による議会襲撃事件がそうした共和党議員達の努力を台無しにしてしまったことは疑う余地はない。トランプもまさか支持者の一部が議事堂を襲撃するとは考えてもみなかったであろうが、今振り返ると、ありうることであった。あの日、あの場所で、あの人達を前に大規模不正を声高に訴え、断固敗北を認めないとトランプが声を張り上げれば、あのようなことは起こり得た。それが現実になってしまったのである。

これに対し、一月六日は共和党議員達による異議申立てに苛ついていた民主党議員達にとってみれば、想像さえしなかった最良の日となったと言えよう。大規模選挙不正に激高したトランプに扇動されたかのように、暴徒達が議事堂を襲撃したのであるから、これを逆手に取るかのようにトランプを政界から追放する手立てを得たと、民主党議員達は感じたであろう。この結果、大統領選で大規模不正が企てられたかどうかという本来の論点が吹き飛んでしまい、トランプが議会襲撃を扇動したかどうかに論点がすり替わってしまった。

他方、一月六日の議会襲撃事件でトランプが少なくとも道義的な責任を負うとしても、一月二〇日にトランプが一般市民となった時点で、弾劾に向けた手続きは終了すべきであった。もはや大統領職にない人間を弾劾しようとするのはどう考えても道理に合わない話である。こうしたことから、トランプが「わが国史上最大の魔女狩り」であると、猛反駁したのは理解できよう(44)。

上述のとおり、トランプの弾劾を画策した民主党議員達の狙いはトランプが二度と政治のひのき舞台に戻れなくすることであったと言える。そのためにトランプが暴徒達を差し向けて議会を制圧し力づくで政権の移譲を拒もうとしたと、民主党議員達は言わんとしたのであろう。議会襲撃がトランプによる扇動によるものであったと民主党議員達は断定したかったのであろう。頻繁に流された議会襲撃を捉えた映像を見せられると、そうした印象を受けてもおかしくなかった。そうであるからこそ、トランプがあの日、あの場所で、あの人達を集め、あの集会を開いた見識が疑われるのである。大規模選挙不正の数々に激高した熱烈な支持者達の一部は後先も考えずに議事堂を襲撃したのであろう。

二〇二〇年大統領選挙において露呈した通り、大手メディアなどは露骨なまでに民主党びいきである。今後を展望するとき民主党議員達に懸念材料があるとすれば、トランプが共和党を率いる指導者として政治の舞台に再び戻ってくることであろう。そうであるからこそ、民主党議員達はここで一気にトランプを弾劾に追い込み、その政治生命を絶つことを目論んだのである。弾劾に追い込まれれば、今後、共和党員としてのトランプの政治生命は絶たれたであろう。もし共和党からトランプを追放できれば、二〇二二年の次期中間選挙で圧勝を博し、二〇二四年の次期大統領選でも確実に勝利できるとの読みが民主党議員達にあったと思われる。

劣勢に甘んずる共和党

これに対し、大統領職を失い上院での多数派の地位を失い下院で少数派に甘んじている今の共和党にとって、二〇二二年の次期中間選挙で勝利を収め、二〇二四年の次期大統領選挙で勝利を収めることは極めて厳しいと言える。一月六日の不祥事でトランプが共和党内の求心力を失いかけたことは事実であるとしても、今後の政治日程を踏まえると、トランプの力が必要となるのではなかろうか。このことは二月一三日のトランプの弾劾裁判票決で、共和党議員の造反者が七名に止まったこと、しかも造反者はトランプと仲の良くない議員達であったことに表れた。トランプが二〇二〇年大統領選で約七四〇〇万もの得票を獲得したことに如実に示されるとおり、少なからずの共和党議員達はトランプが今も多くの米国民から絶大な支持を得ていると認識している。

一層逆風にさらされる可能性がある次期中間選挙での逆境を覆すためには、共和党議員の多くにとってトランプによる支援を賜りたいのが本音でなかろうか。トランプが共和党で隠然とした影響力を持ち続け、次期中間選挙に向けて共和党候補者達の選挙支援に駆け付け、大多数の支持者の熱狂を作り出すという状況ほど、民主党陣営からみて不愉快なものはない。そうした手法の是非は別にして、他の政治家にとってなかなかまねのできるものではない。

次期中間選挙において共和党が躍進を果たすことができれば、二〇二四年大統領選はすぐそこである。次期大統領選での民主党候補がバイデン大統領であろうが誰であろうが、共和党側にとってホワイトハウスを奪還できるのはトランプしかいないのではなかろうか。

二〇二〇年大統領選で明白になったのは、一度選挙結果が出てしまえばそれを覆すことがいかに至難であるかであった。大手メディアは開票直後から不正は一切なかったとの立場を堅持した。一一月四日の深夜にジョージアでの集計場で実行された重大な不正現場の一部始終が監視カメラに捉えられたにもかかわらず、ＦＢＩも司法省も全く捜査に動こうとしなかった。一二月上旬にテキサスを始めとする十数州がジョージア、ペンシルベニア、ミシガン、ウィスコンシンなど四州を選挙ルール違反や選挙不正の事由で連邦最高裁に訴えたにもかかわらず、最高裁は「原告適格」がないとして全く見向きもしなかった。こうした最高裁の対応からは、面倒な事案に巻き込まれたくないという判事達の思いが伝わってきた。一二月上旬に行われた「フォックス・ニュース」の世論調査で米国民の三人に一人以上が大統領選は盗まれたと回答したように、少なからずの米国民が選挙結果を真剣に疑っているにもかかわらず、何もなかったかのように一月二〇日にバイデン政権が発足した。

トランプの復活?

こうした現状が続くようでは、次期大統領選に向けて指名獲得を受けた共和党候補は間違いなく苦戦を強いられることが予想される。しかも幾つかの激戦州で民主党陣営がまたしても大規模不正を企てないという保証は全くない。これに対し、もしトランプが指名を獲得することがあれば、民主党陣営は少なからずの不都合を感じるであろう。二〇二〇年大統領選において幾つかの激戦州で企てられた大規模不正についての詳細な情報をトランプが掴んでいることは、民主党陣営からすれば、実に戦い難い相手となろう。と言うのは、次期大統領選に向け今回の大規模選挙不正をトランプが事あるたびに訴えることは間違いない。この結果、多くの米国民は四年後、今回の大規模不正を改めて知らされることになろう。それに伴い、選挙不正への怒りと憤りを共有する多数の支持者達を獲得するだけでなく、民主党陣営が大規模不正に打って出ることを難しくするのではないか。いずれにしても、今後、米国の政治に少なからずの影響力を与え続けるのはトランプの動向であることは間違いないであろう。

結論

新型コロナウイルスと教訓

新型コロナウイルスの感染拡大から今日に至るコロナ禍の下で、米中間の激しい対立は米中新冷戦の勃発の様相を呈していると言える。こうした下でわが国はどのようにこれに向き合うべきか真剣に問われていると言える。

習近平指導部の実に無責任かつ横暴な振る舞いを踏まえ、わが国は重要な教訓を学んだと言えよう。(1) 一つはこれまで中国に依存してきた供給網をできるだけ多元化すると共に、生産拠点をできるだけ中国国外に移転させることを真剣に進める必要がある。二つ目は海上交通路の安全を確保する必要である。三つ目は尖閣諸島を含むわが国の南西諸島の防衛を真剣に検討しなければならないことである。

供給網の多元化と生産拠点の移転

新型コロナウイルスの発生源については既述したとおり、様々な推測や憶測が飛び交っているが、湖北省の武漢市であることは間違いないであろう。しかも中国当局はこれまで武漢市の華南水産卸売市場が発生源であると断定したが、それ以上に疑問視されるのは中国科学院武漢ウイルス研究所という武漢市にあるウイルス研究所である。同研究所からウイルスが流出したことを裏付ける決定的な証拠が提示されていないとは言え、同研究所と武漢市での同ウイルスの感染拡大と何らかの関連があることは間違いないであろう。

今回の未曾有というべき感染症の拡大を受け、中国からのわが国への物流は一時期、遮断されることになった。また二〇〇三年に流行したＳＡＲＳの発生源も中国であったことを踏まえると、いつ何時、新型コロナウイルスのような感染症が発生するとも限らない。今回のコロナ禍を通じ痛切に知らしめられたのは習近平指導部のガバナンスの不透明性とその権威主義的かつ覇権主義的な性格である。

感染症による物流の遮断だけでなく政治的な事由で物流が遮断されることが十分にありうることを学んだ。こうした点を踏まえると、これまでどおり安価な労働力を基礎としたコストパフォーマンスといった観点から、供給網を中国に依存したり生産拠点を中国国内に置くという安直な姿勢を改め、生産拠点を日本国内に復帰させたり中国国外に移転させることを真剣に検討する必要があろう。

海上交通路の安全確保

第二にわが国の海上交通路の安全確保に努める必要がある。コロナ禍の下で南シナ海や東シナ海での中国の海洋活動が日々、過激かつ横暴になっていることは極めて憂慮すべきである。ところが、わが国の場合、莫大な数に及ぶ貨物船や石油タンカーがこれらの海域を通過しわが国に入港しているのが現実である。言葉を変えると、わが国の海上交通路が中国によって日々、脅かされつつあると言えよう。したがって、海上交通路の安全確保のために向けた対策を早急に講ずる必要がある。

尖閣の防衛

第三に、尖閣諸島を含め、石垣島、宮古島、沖縄本島、奄美大島など、南西諸島全域の防衛に向けた対策を真剣に準備する必要がある。そのためには何よりも島嶼防衛のためにわが国の安全保障努力を傾注すると共に、島嶼防衛のための日米安全保障協力を一層強化する必要がある。こうした努力と並行して、米国だけでなくオーストラリアやインドなどを含めた多国間での安全保障協力を推進する必要があると言えよう。

追記

1 習近平の「海洋帝国」の建設と海警法施行

「中国の夢」の実現に向けて

コロナ禍の現在、中国の海洋活動は一段と過激かつ横暴となっている。[1] このことは習近平がかねがね掲げる「中国の夢」の実現に結び付く。その夢とは習近平が好んで言及する「中華民族の偉大なる復興」を指す。より具体的には一九四九年の中華人民共和国の建国から百周年目を迎える二〇四九年までに文字どおり、世界大国の実現を果たすという遠大な国家戦略である。習近平指導部はそうした国家戦略の実現に向けて猛進している感があるが、同戦略は「一帯一路」の推進、「海洋帝国」の建設、「核大国」の建設、「反分離主義闘争」などの柱から成り立つと捉えることができると論じてきた。しかも二〇二一年の今年は中国共産党の結党百周年にあたった。世界大国の実現を目論む習近平指導部の国家戦略にとっても重要な節目となる年であることは明らかであった。

「海洋帝国」の建設への邁進－南シナ海の支配

上述のとおり、同戦略の柱の一つが「海洋帝国」の建設であると考えられる。習近平指導部の狙いは多方面に及ぶ。第一は南シナ海ほぼ全域を領有しようとする動きである。このために南シナ海ほぼ全域を覆う形の、いわゆる「九段線」を引き、これを根拠にその内側に入る広大な海域に対する領有を主張してきた。一九八二年に採択された国連海洋法条約に照らし、南シナ海のほぼ全域に領有を主張していることは露骨な条約違反である。しかも中国も同条約の締約国であるから、首をかしげたくなる。さらに「九段線」に反発するフィリピンは常設仲裁裁判所に中国を訴え、二〇一六年七月一二日に同裁判所は「九段線」に法的な根拠はないとし、中国による主張を一蹴した[2]。これに対し、習近平指導部は同裁判所の判決を嘲り笑うかのように徹頭徹尾無視してきた。フィリピンだけでなくベトナム、マレーシアなど南シナ海に面する諸国は「九段線」に猛反発してきたが、国際法を何とも思わない中国に対し、これといった対抗手段を持ちえないのが現実である。習近平指導部はこれらの国が無力であることを知りつつ、お構いなしに海洋進出を続けてきた。

これと並行して近年、対立の焦点となっているのが南シナ海中央部に位置する南沙諸島である。南沙諸島には無数の島が点在するが、実際には環礁の集まりである。しかも中国は幾つもの環礁を埋め立て「人工島」に造り替え、軍用滑走路を敷き、空軍基地、海軍基地やミサイル基地が建設されているとみられる。これが南沙諸島の「軍事拠点化」に向けた動きである。ここ数年でこれらの「人工島」が全く様変わりしたことが報告されている。これに対して、近隣諸国は反論しているが無力である。こうした中で、米国政府は「航行の自由作戦」と称して近接海域に米海軍艦艇をしばしば派遣してきたが、これといった牽制になっていない。

東シナ海での海洋進出

こうした南シナ海での動きと並行して進んでいるのが東シナ海での海洋進出であり、わが国にとって極めて憂慮すべき事態である。東シナ海での主な狙いの一つは外洋である太平洋への進出であると言える。山東省の青島に中国人民解放軍海軍北海艦隊の司令部が置かれている。中国海軍が太平洋に進出するためには幾つかの航路が考えられる。その中で、沖縄本島と宮古島の間の宮古海峡を航行する航路が太平洋に抜ける上で最も近道となることから近年、中国公船が宮古海峡をしばしば通過する事例が報告されてきた。

しかもこの付近に位置するのがわが国の尖閣諸島である。コロナ禍の今、尖閣諸島の領有が中国に日々、脅かされていることは周知のとおりである。二〇二〇年四月以降、中国海警局船舶が尖閣諸島の領海の外側の接続水域にそれこそ連日のように侵入したのに加え、同領海への侵入も相次いでいる。二〇二〇年だけで接続水域への侵入は実に三三三日間に達した一方、領海侵入は二九日間に及んだ。しかも尖閣諸島の領海内で操業していた漁船が海警局船舶に追い回わされるという事件が同年だけで六件も起きた(3)。幸い、海上保安庁の巡視船がその度に漁船を警備したおかげで事なきを得てきた。ところが不可解なのは現場で漁船や巡視船が四苦八苦しているのに対し、日本政府の対応はいつも決まって鈍い。一体、何を逡巡して毅然とした対応を日本政府がとらないのか、これまた首をかしげたくなる。こうした弱腰の日本政府の対応を見ながら、習近平指導部は尖閣諸島の実効支配に向けた行動計画を虎視眈々と練り上げ、周到に準備を進めているのではなかろうか。こうした状況を放置していたならば、習近平指導部が遠からず尖閣諸島を力ずくで実効支配しようと目論むことは疑う余地はない。

海警法制定の脅威

しかも二〇二一年二月一日に施行となった中華人民共和国海警法第二二条は「国家の主権、主権的権利、及び管轄権が海上において外国の組織、個人の不法な侵害を受けている、若しくは不法な侵害の切迫した危険に直面している場合、海警機構はこの法律及びその他の関連する法律、法規に従って武器の使用を含む必要な全ての措置を講じ、その場での侵害を阻止し、危険を排除する権利を有する」と規定した。(4) この結果、海警局船舶が他国の船舶に対し必要と判断すれば、いつでも武器使用に訴えることが可能となった。同法が真っ先に適用されかねないのがわが国の尖閣諸島周辺海域であると言っても過言でないであろう。

海警法の施行は特段、尖閣諸島だけを標的とした動きではなく、南シナ海や東シナ海全域を対象とする動きでもある。この結果、中国がわが国だけでなく台湾、フィリピン、ベトナム、マレーシアなど近隣諸国との対立を激化させかねない可能性がある。コロナ禍の下で中国の海洋活動が一段と過激かつ横暴になっているところにもってきて、海警法が施行されたことで海上での武力衝突の可能性が一段と高まることが懸念される。

習近平の目論見とトランプの対抗策

現在、コロナ禍の下でわが国を含め中国の近隣諸国がコロナ対策に追われている間、習近平指導部はコロナ禍を逆手に取るかのように世界大国の実現に向け突進している感がある。この結果、香港の自治の事実上の剥奪を始めとして、上述の南シナ海ほぼ全域の領有に向けた動き、南沙諸島の「軍事拠点化」に向けた動き、台湾の軍事併合に向けた動き、わが国の尖閣諸島の実効支配に向けた動きなど様々な問題を引き起こしている。

こうした動きをもはや看過できないと見たトランプ政権は二〇二〇年七月以降、様々な分野で猛然と反転攻勢に打って出た。第一に、香港の自治の剥奪に対して、これまで香港に認めてきた関税上や金融上の優遇措置の撤廃に動いた。(5)第二に、南シナ海全域の領有に向けた動きに対抗して、二〇二〇年七月に南シナ海に米海軍太平洋艦隊の大型空母である「ニミッツ」と「ロナルド・レーガン」など米海軍空母打撃群を派遣し、二度にわたり大規模軍事演習を行った。(6)第三に、南沙諸島の「軍事拠点化」に向けた動きに対し、南沙諸島の近接海域に米海軍ミサイル駆逐艦「ラルフ・ジョンソン」を派遣し、「航行の自由作戦」を敢行した。(7)第四に、台湾の軍事併合に向けた動きに対し、台湾との防衛協力を推進した。(8)第五に、尖閣諸島の実効支配に向けた中国の動きに対し日米共同軍事演習を行った。(9)これと並行して、中国通信機器企業のファーウェイなどを通信市場から締め出すと共に、テキサス州ヒューストンの中国総領事館に対しスパイ活動の拠点であるとの疑いがあるとして閉鎖を指示した。(10)

こうした状況の下で、七月二三日にポンペオ前国務長官は「共産主義中国と自由世界の未来（"Communist China and the Free World's Future"）」という演題で、米中新冷戦の勃発を示唆する演説を行った[11]。その中で、米国は一九七二年以降、中国への関与政策を行ってきたが、最終的に失敗であったと、ポンペオは回顧した。破綻した全体主義イデオロギーの信奉者である習近平は中国共産主義による世界の覇権を握ろうとしていると、同氏は論じた。中国共産党は米国社会の内部深く侵入し、勢力を拡大しつつあると力説し、今後、米国は自由と民主主義、人権、法の支配を共有する国々と連携し、中国の脅威に断固対抗しなければならないと、ポンペオは結論づけた。

とは言え、習近平指導部による武力による現状の変更を目論む露骨な動きを米政府は必ずしも抑制できていないのが現実である。トランプ政権の時から、南シナ海ほぼ全域の領有に向けた動きや南沙諸島の「軍事拠点化」に向けた動きに歯止めが全くかかっていない。これらの目的が達成したと習近平指導部が判断することがあれば、今後の課題は台湾の軍事併合であり、尖閣諸島の実効支配ということになろう。バイデン政権が今後そうした習近平指導部の動きを封じ込める断固たる意思を示さない限り、同指導部はお構いなしに台湾の軍事併合や尖閣諸島の実効支配に向けて邁進するのではなかろうか。

現代の中華思想の体現者である習近平の目には、わが国を含め近隣諸国は中国に隷属すべき存在以外のなにものでもないと映っているのでなかろうか。同指導部の露骨とも言える権威主義的かつ覇権主義的性格は新型コロナウイルスを通じ一気にあらわとなったと言える。同ウイルスを中国国内で封じ込めるどころか、世界各地でパンデミックを引き起こしたことに対し習近平は一言の謝罪も行わない。それだけでなく中国の近隣諸国がコロナ禍の下で一様にコロナ対策に追われている最中に、世界大国の実現に向けてがむしゃらに突進している。コロナ禍を引き起こした張本人がコロナ禍を逆手にとるかのように国家戦略の完遂に向けて突き進もうとするのであるから、常軌を逸した話である。習近平指にとってコロナ禍は禍ではなく機会なのでなかろうか。

習近平は二〇二〇年九月二二日の第七五回国連総会一般討論演説で、「われわれは覇権、膨張、勢力圏を決して求めない。冷戦や熱戦をどの国とも戦うつもりはない」と断言した(12)。「覇権、膨張、勢力圏を決して求めない」と習近平は言うが、同指導部が追い求めているものこそ「覇権、膨張、勢力圏」そのものでないのか疑問に思えてならない。

香港から自治を剥奪するにあたり五〇年間にわたり香港の高度な自治を保証するとした、一九八四年の「英中共同宣言」に真っ向から違反する香港国家安全維持法を制定、直ちに施行したとおり、習近平指導部の手法は国際法と抵触しかねない国内法を一方的に整備し、国際社会からの批判などどこ吹く風といった調子で、それを根拠に国際法違反の露骨な行動に打って出るというものである。[13] 自国に好都合な法律を制定し、それに基づき恫喝や威嚇を正当化する手法こそ、同指導部が得意とすることを理解し対処しなければならない。今回、国際法に真っ向から抵触しかねない海警法の制定、施行もこうした文脈から捉える必要がある。しかも王毅外相などが二〇二一年三月七日に海警法は「完全に国際法に合致する」と平気で吹聴するのであるから、天地逆さまになっているのではないかと疑われるのである。[14]

2 尖閣諸島実効支配の危機

二〇二一年二月一日に中国海警法が施行されて以降、中国の海洋活動はこれまでに増して過激かつ横暴になっている感がある。海警法は特段、わが国の尖閣諸島を念頭に置いたものでないにせよ、尖閣諸島の領有は日々、中国に脅かされつつあるのが現実である。[15]

強大化する中国海警局と海警法

そもそも中国海警局が国家海洋局に設置されたのは二〇一三年であった(16)。表向き上、海警局はわが国の海上保安庁に相当する沿岸警備組織である。海上保安庁は海上保安庁法により武器の使用が厳格に規制されている。これに対し、海警局は二〇一八年に中国人民解放軍の最高指導機関である中央軍事委員会に直属する人民武装警察部隊に配属替となった。これにより、海警局は軍に準ずる組織の性格を持つに至った。このことは、海警局がしばしば「第二海軍」と呼ばれていることにも表れている。また海警局が保有する船舶は海上保安庁の巡視船とは比較にならないほど大型であり、その排水量は一万トン級に及ぶとされる。

しかも二〇二一年一月二二日に全国人民代表大会で中国海警法が採択され、二月一日に施行となった。海警法は曖昧な表現で中国の主権や管轄権を侵犯するものに「武器の使用を含むあらゆる必要な措置」を講ずる権限を一方的に海警局に認めた。

尖閣領有への中国の主張の虚構

ところで、尖閣諸島がわが国固有の領土であるというのは、日本政府だけでなく与野党一致した見解である。日本が尖閣諸島の領有を主張する主な根拠は、一八八五年一月に日本政府が閣議決定を行い沖縄県に尖閣諸島を編入して以来、一九四〇年頃まで日本国民が居住し、羽毛の採取など経済活動を行っていたことである。これに対し、中国側の根拠は乏しいと言わざるを得ない。明時代の古文書（「使琉球録」や「籌海圖編（ちゅうかいずへん）」）に「釣魚嶼」（尖閣諸島）という記載があると中国は主張するが、下記の通り突然、領有を主張し出したのは一九七一年であり、それまで尖閣諸島の領有に執着していたわけではない。ところが、一九六九年に国連の海洋調査により近接海域に膨大な量の石油が埋蔵していることが確認されると、中国は七一年に外務省声明を通じ尖閣諸島の領有を突如、主張し始めた。

狙われる尖閣

尖閣諸島の領有を脅かす中国の動きが特に顕著になり出したのはコロナ禍の下の二〇二〇年四月頃からである。こうした状況が続けば、遅かれ早かれ習近平指導部が力づくで尖閣諸島の実効支配に打って出るであろうと、以前から懸念されてきた。しかも二〇二〇年八月には中国の漁船が大挙して尖閣諸島周辺海域に押しよせるのではないかと危惧された。『産経新聞』は八月一六日以降、多数の中国漁船が同海域に侵入する可能性があると伝えた。[17] 同報道によれば、八月一六日の中国の休魚期間が終われば、中国漁船が同海域での漁業を開始することを通告してきたとされる。最悪の事態としてどさくさに紛れて尖閣諸島に中国側が上陸するのではないかと懸念されたが、中国漁船が大挙して押し寄せるといった事態は回避された。この背景には、八月一五日から一八日の間、東シナ海などで大規模な日米共同軍事演習が実施されたことが牽制となったと言えよう。[18]

その後、尖閣諸島の領有を脅かす習近平指導部の動きを警戒する菅首相は二〇二〇年一一月一二日にバイデン次期大統領と電話会談を行い、尖閣諸島は日米安保条約第五条の適用対象であることをバイデン氏が確認したとされる。[19] とは言え、同条約の適用を確認したから、尖閣諸島の領有は安泰と考えるのは早計である。

実際に二〇二一年二月一日の海警法の施行以降、海警局船舶が尖閣諸島周辺海域へ侵入を繰り返しているのは警戒を要する。二月だけで尖閣諸島の領海外側の接続水域への海警局船舶の侵入はのべ二六日間、尖閣諸島の領海への侵入は六日間に及んだ。しかもこの間、わが国の漁船が海警局船舶に追い回されるという事件が一月に一件、二月に三件も発生している。[20] 二月一六日には、わが国の二隻の漁船が四隻の海警局船舶によって追い回されたが、その際、海警局船舶の一隻は機関砲らしきものを装備していたとされる。

これに対し、三月一日に加藤官房長官が海警局船舶による尖閣諸島領海への侵入は国際法違反であると非難した。[21] しかし国際法を遵守する意思と意図があるとは到底思われない習近平指導部に対し、国際法違反であると日本政府の閣僚が非難したところで果たして効果はあるであろうか。閣僚がこの種の発言を繰り返しているようでは、尖閣諸島の実効支配に向けた習近平指導部の動きを止めることができないばかりか、実効支配に向けた動きを逆に加速させることになるのではないか。

この間も、煮え切らない日本政府の対応を横目で見ながら、習近平指導部が虎視眈々と隙をうかがっていることを注視しなければならない。二〇二一年三月八日には栗戦書(リー・チャンシュー)全国人民代表大会常務委員長が活動報告を行い、この中で、海警法の目的は「習近平強軍思想を貫徹し、新時代の国防と軍隊建設の必要に応えるため」であると力説した。[22] このことは、いかに習近平体制が海警局船舶による武器使用を認めた海警法を重要視しているかを如実に物語る。

これまで日本政府は中国側との対立を回避するため意識的に尖閣諸島の実効支配に乗り出すことを自重してきた。そうしたわが国の受け身の対応を踏まえ、日本側は何もできないであろうと、習近平指導部は高を括っているのではないか。とりわけ危惧されるのは尖閣諸島領海に大量の中国漁船や海警局船舶が押し寄せ、挙句の果てに上陸されるという事態であろう。一度、尖閣諸島への上陸を中国に許すことがあれば、現状を回復することは至難とならざるをえない。もしわが国が現状を回復しようとすれば、日中間での武力衝突は避けられなくなるとみる必要があろう。

したがって、もし大量の中国漁船や海警局船舶が尖閣諸島領海に侵入すれば、誤解のない断固たる対応をわが国が講ずることが求められよう。中国側に不法上陸を許すことを阻止するためには、尖閣諸島に日本側が上陸し中国側による不法上陸に備えるという態勢を講じる必要があるのでなかろうか。今、わが国は尖閣諸島を断固防衛する意思と意図があるかどうか試されていると言えよう。

上述のとおり、これまで尖閣諸島領海内でわが国の漁船が海警局船舶に追い回されるといった事件が発生した際、海上保安庁の巡視船がその度に出動し事なきを得たが今後その保証はない。巡視船と海警局の大型船舶では装備面で大きな差があるところにもってきて、海警法の施行により武器使用も許可された。しかも「第二海軍」と称される海警局と中国人民解放軍海軍が一層連携して行動するとみなさざるをえない。海警局船舶が尖閣諸島領海に侵入する際、背後に中国海軍のミサイル艇が控えていることが伝えられている。

尖閣防衛に向けて

尖閣諸島を断固守り抜こうとすれば、最終的には在日米軍による支援が必要となるであろう。とは言え、米国政府にお願いすれば、尖閣諸島の実効支配は防げるといった安易な姿勢では、習近平指導部にわが国の島嶼防衛の足元をみられていると言わざるをえない。尖閣諸島を防衛するのはわが国であり、米国はあくまで防衛支援に駆け付けるという理解でなければならない。米国政府による支援に依存するのではなく、自国の安全保障は自国で確保しようとしなければならないであろう。尖閣諸島領海で日本の漁船や海上保安庁の巡視船が海警局船舶から体当たりや発砲を受けるといった事態が現実化しかねない下で、自衛隊の出動も視野に入れざるを得ない。これに対処可能なように自衛隊の行動を明記した法整備も必要となろう。

その上で必要となるのが在日米軍による支援である。わが国の防衛態勢が隙だらけであると習近平指導部がみている一方、在日米軍による支援をことさら嫌っている節がある。その意味で、尖閣諸島の防衛に向けた自衛隊と在日米軍の連携が鍵となると考えられる。

とりわけ二〇二〇年八月に東シナ海で実施されたような日米共同軍事演習を近接海域で定期的に実施することが同指導部への牽制になるのではなかろうか。

いずれにしても、海上保安庁、自衛隊、必要に応じ在日米軍からなる幾重にも重なった防衛態勢を周到に準備しておかなければならない。

3　米国の尖閣と台湾防衛の本気度

二〇二一年四月一六日に急遽開催された日米首脳会談は今後の日米関係だけでなく米中関係や日中関係を占う上で重大な意味を持つと言える。(23) トランプ政権が習近平指導部の武力による現状変更を目論む膨張主義的かつ覇権主義的な動きに対し、もはや看過できないとして猛然と反転攻勢に打って出た結果、二〇二〇年夏頃から米中新冷戦が勃発した様相を呈し出した感があった。

バイデン政権の対中強硬姿勢

こうした習近平指導部に対しバイデン政権がどのように向き合うかについては必ずしも

明らかでなかった。と言うのは、そもそもバイデン氏は親中派と言えたオバマ大統領の下で副大統領を長年務めた人物である。習近平指導部からすれば、バイデン政権の発足に伴いトランプ政権時に悪化した感がある米中関係は改善に向かうであろうとみる期待が少なからずあったと言える。しかし政権発足直後からバイデン政権の対中路線は事前の予想を超えて、強硬である。その意味で、バイデン政権はトランプ政権の対中強硬路線を事実上、踏襲している印象を与える。

と言うより、対中強硬路線は今や、共和党と民主党という党派の垣根を超えた米国の基本路線と言うことができよう。習近平指導部の国家戦略の完遂があくまでも世界大国の実現にあり、しかも現在、中国の近隣諸国がコロナ禍の下で四苦八苦している間隙を縫うかのように、世界大国の実現に向けてがむしゃらに突進しているという印象を与えているからに他ならない。

習近平指導部が世界大国の実現のために武力による現状の変更を何ら躊躇しないことを米政府は正確に認識していると言える。バイデン政権もトランプ政権同様に、習近平指導部は露骨な武力による現状の変更を目論んでおり、これは看過できないとの認識を共有していると言える。このことはとりもなおさず、南シナ海ほぼ全域の領有を目論む動き、南沙諸島の「軍事拠点化」に向けた動き、香港の自治の事実上の剥奪、台湾の軍事併合に向けた動き、わが国の尖閣諸島の実効支配に向けた動きや、新疆ウイグル自治区での人権弾圧などである。こうした習近平指導部の動きが加速する端緒となったのは二〇二〇年六月終わりの香港国家安全維持法の制定・施行を通じた香港の自治の事実上の剥奪であった。これを座視できないとしてトランプ政権が猛然と反転攻勢に打って出た結果、米中対立はもはや米中新冷戦の様相を呈し始めたのは既述のとおりである。

続いて、二〇二一年二月一日に施行された海警法がわが国を含め中国の近隣諸国を震撼させたといっても過言ではないであろう。海警法は中国の海警局船舶が中国の主権や管轄権を侵犯する他国の船舶に対する武器使用を行うことができることを認めた。ところが、中国の主張するところの主権や管轄権という概念自体が中国にとって一方的に有利に定義されていることを踏まえると、他国船舶に対する武器使用が恣意的に行われてもおかしくない。中国が南シナ海ほぼ全域に領有を主張していることに照らすと、広大な同海域でフィリピン、ベトナム、マレーシアなど近隣諸国の船舶が中国の管轄権や主権を侵害したとして、いつ何時、武器使用の対象となってもおかしくはない。

このことはわが国にとっても重大な問題を提起する。中国が尖閣諸島の領有を一方的に主張していることを踏まえると、同海域でわが国の船舶に対し武器使用をいつでも行う用意があるぞと言外に示唆しているようなものである。二〇二〇年四月以降、尖閣諸島の領海の外側の接続水域に中国海警局船舶がそれこそ連日のように、侵入するだけでなく、領海内にも頻繁に侵入し、さらに領海内で操業しているわが国の漁船を海警局船舶が追い回すという事件が度々起きてきた。しかも二〇二一年二月一日の海警法の施行に期を合わせるかのように、尖閣諸島周辺海域での海警局船舶の動きが日増しに過激かつ横暴となっている。これに対し、菅内閣の閣僚がそうした中国の動きに対し国際法違反で遺憾であると、お決まりの弱腰の対応を繰り返してきたことは周知のとおりである。他方、習近平指導部の膨張主義的かつ覇権主義的な動きに控えめな対応をとってきたわが国の主要メディアもここにきて習近平指導部の動きを批判し始めたが、こうしたことはなかったことである。

加えて、香港の自治の剥奪以降、習近平指導部は台湾の軍事併合を視野に捉えて、軍事圧力を連日のように加えている感がある。これに対し、台湾の蔡英文政権が猛反発していることから、台湾海峡の緊張が高まっているのが現実である。

日米共同声明（二〇二一年四月一六日）

二〇二一年四月の日米首脳会談で発出された日米共同声明である「新たな時代における日米グローバル・パートナーシップ」は、日増しに露骨になっている習近平指導部に対し今後、日米が共同でいかに臨むかに関し共通認識を明確に表したと言える。共同声明は共通の懸念事項として多くの課題を取り上げているが、その主要課題は尖閣諸島と台湾の防衛であると言える。

日米共同声明の中で尖閣諸島について「米国はまた、日米安全保障条約第五条が尖閣諸島に適用されることを再確認した。日米両国は共に、尖閣諸島に対する日本の施政を損おうとするいかなる一方的な行動にも反対する」と定めた(24)。これによりこれまでの曖昧な米政府の姿勢から一段と踏み込み、中国が尖閣諸島の実効支配を目論もうとすることがあれば、米国は日本と連携し尖閣の実効支配を阻止すべく行動する姿勢を明確に打ち出したと言える。

続いて台湾について共同声明は「日米両国は、台湾海峡の平和と安定の重要性を強調するとともに、両岸問題の平和的解決を促す」と明記した(25)。やや曖昧な表現であるとは言え、「台湾海峡の平和と安定」の文言が入ったことに加え、「平和的解決を促す」として習近平指導部が目論む軍事侵攻の可能性に釘を刺したと言えよう。日米共同声明を通じ習近平指導部の膨張主義的かつ覇権主義的な動きに日米が共通して認識している懸念などを明確にしたと言える。

日米共同声明への蔡英文政権の謝意

二〇二〇年六月の終わりの香港国家安全維持法の制定を通じ香港の自治が骨抜きとなった今、次に矛先を向けられるのは間違いなく台湾であり、蔡英文政権は中国の脅威に日々怯えていると言えよう。したがって、日米共同声明が「台湾海峡の平和と安定の重要性を強調するとともに、両岸問題の平和的解決を促す」と言及したことに、台湾外交部が直ちに「心からの歓迎と感謝を表す」としたのは十分に理解できよう。[26] しかも同外交部が「台湾は第一列島線の要に位置し、地域の安定と繁栄の鍵であり続けるが、このところ地域の国々が直面しているのと同様の圧力や侵略の脅威を感じている」と窮状を述べた。このことは中国本土と真正面から対峙する格好で最前線に立たされている台湾こそが中国による膨張主義と覇権主義の矢面に立たされていると苦境を述べたものである。[27] 実際に今後、台湾が軍事併合されるような事態が現実になるようなことがあれば、東シナ海での現状が根底から崩されかねない。

狙われる台湾

「中国の夢」として「中華民族の偉大な復興」を掲げる習近平にとって、台湾は帝国主義支配に苛まれた最後の残滓に映るであろう。したがって、台湾の回復なくして中国の再統一もなくまた「中華民族の偉大な復興」もないであろう。しかも習近平指導部からみて、台湾には喉から手が出るほど欲しい、世界を代表する半導体技術や先端的技術が大量にある。

他方、わが国にとってみれば、台湾の近接海域は死活的重要な海上交通路の役割を果たしてきた。習近平指導部が台湾を軍事支配下に置くことがあれば、南シナ海に続いて東シナ海も中国の勢力下に事実上、置かれることを意味する。これらの海域を通過して莫大な数の貨物船や石油タンカーなどがわが国に入港していることを踏まえると、わが国の海上交通路の要衝が日々、中国に脅かされるという事態に発展しかねない。この結果、東シナ海の現状は根本から揺らぎかねない。こうした状況の下で、米国にとってもわが国にとっても台湾の防衛は重大事であると言える。

デイビッドソンの警鐘

バイデン政権が日米共同声明を通じ台湾について言及したのは、習近平指導部が遠からず台湾の軍事併合に乗り出す可能性を排除できないとし、そうした事態は断固阻止しなければならないとの認識を表したと理解できよう。二〇二一年三月九日にインド太平洋軍のデイビッドソン（Philip Davidson）司令官が上院軍事委員会の公聴会において向こう六年以内に台湾への軍事侵攻が十分に起こりうるとする重大な問題提起を行った。同司令官は「中国は……国際秩序におけるわが国のリーダーとしての役割に取って代わろうという野心を強めていると私は憂慮している。二〇五〇年までにである。……その前に、台湾がその野心の目標の一つであることは間違いない。その脅威は向こう一〇年、実際には今後六年で明らかになると思う」と語った(28)。

これに対し、日米共同声明に対し習近平指導部は予想通り真っ向から猛反駁した。駐米中国大使館は、「台湾と香港、新疆ウイグル自治区に関わる問題は中国の内政であり、東シナ海と南シナ海は中国の領土と主権、海洋権益に関わるもので、干渉することは許さない。われわれは強い不満と断固とした反対を表明する。中国は国家の主権と安全、発展の利益を断固として守る」と断言した(29)。

尖閣諸島海域への中国の軍事圧力

日米共同声明後、中国がまもなく挑発的な動きに打って出たことは危惧される。遼寧を中心とする中国の空母編隊が尖閣諸島の近接海域を二〇二一年四月の終わりに航行し、偵察活動を行ったことが伝えられた。(30) 尖閣諸島の近接海域に中国海警局船舶だけでなく空母編隊を差し向けたのは明らかにわが国を揺さぶろうとする習近平指導部の脅しである。これに対し、日米両国も明確なシグナルを送る必要があるのではなかろうか。

今後、習近平指導部が武力による現状の変更を全くいとわず膨張政策を続けることが予想される。これに対し、バイデン政権が尖閣諸島と台湾の防衛に向けてより具体的かつ実効力を持つ政策を踏襲する意思があるのか注視する必要がある。

あとがき

　これまで米情報機関では新型コロナウイルスの発生源について「動物との接触説」を支持する見解と「研究所の事故説」を支持する見方に分かれていた。こうした状況を踏まえ、バイデン大統領が二〇二一年五月二六日に米情報機関に対しウイルスの発生源について九〇日以内に特定するよう指示を出したのは既述のとおりである。これを受け、八月二七日に米国の米情報機関を統括する米国家情報長官室によって発表されたのが、二頁にまとめられた「新型コロナウイルス発生源の評価摘要」であった。（"Unclassified Summary of Assessment on COVID-19 Origins," The Office of the Director of National Intelligence (ODNI), (August 27, 2021.)

　米情報機関は新型コロナウイルスが生物兵器として開発されたものではなく、また遺伝子操作されたものでもないという評価で一致したと「評価摘要」は述べた。他方、ウイルスの発生源について情報機関の見解は別れたままである。四つの情報機関と国家情報会議（the National Intelligence Council）が感染した動物との接触による可能性が高いと主張したのに対し、一つの情報機関が中国科学院武漢ウイルス研究所の実験室関連の事故の結果である可能性が高いと評価した。

その上で、「評価摘要」は中国が発生源を巡る調査への協力に一向に応じていないとして厳しく批判した。それによると、「新型コロナウイルスの発生源の特定に至るには、中国の協力が必要である。しかし、中国は引き続き世界的な調査を妨害し、情報の共有に抵抗し、米国を含む他の国を非難している。こうした行動は、調査の結果がどのような事態を導くか中国政府自体が懸念していることに加え、国際社会が中国に政治的圧力をかけるべくこの問題に執着しているのではないかと、著しい不満を抱いていることを映し出している。」

他方、各情報機関が行った調査の詳細は機密扱いのままである。五つの情報機関がウイルスの発生源として動物との接触による見方を支持したと記したが、どのような証拠やデータに基づく主張であるのか説明がない。同様に、一つの機関が武漢ウイルス研究所での実験室の事故による可能性が高いと論じたが、その根拠となる証拠やデータが提示されていない。これでは発生源を巡る真相に近づくどころか、発生源を巡るさらなる推測や憶測を駆り立てることになったと言えよう。

「評価摘要」を受ける形で、バイデン大統領は声明を発表した。（"Statement by President Joe Biden on the Investigation into the Origins of COVID-19," The White House, (August 27, 2021.)）その中で、バイデンは「今日まで、このパンデミックの犠牲者が増え続けているにもかかわらず、中国は透明性の要求を拒否し、情報の提供を差し控えている」と厳しく習近平指導部を非難した。その上で、バイデンは「米国は志を同じくする世界中のパートナーと協力して、中国に情報を完全に共有するよう圧力をかけ、すべてのデータと証拠へのアクセスの提供を含む、新型コロナウイルスの発生源に関するWHOの第二段階の決定に協力する」と、WHOによる調査へ協力を行うよう習近平指導部に強く迫ったのである。

バイデン氏の声明は、「評価摘要」と同様に習近平指導部による協力が確保できていないことにより、発生源の特定に至っていないかの印象を与えた。言葉を変えると、中国からすべてのデータと証拠へのアクセスの提供を含む協力を得られることがあれば、発生源を特定できるとバイデンは言いたかったのであろうか。しかし、中国側から真摯な協力などあろうはずもないことを踏まえると、中国側からの協力があれば発生源の特定に近づけるとしたのはいささか的外れであったと言わざるをえない。

この間、習近平指導部に対するWHOの姿勢は急速に変わりつつあると言っても過言でない。このことは新型コロナウイルスの感染拡大当初から習近平氏に阿ってきた感のあるテドロスＷＨＯ事務局長の発言に映し出されている。突如心変わりしたかのように、二〇二一年七月一五日にウイルスが問題の研究所から流出した可能性にテドロスが言及した。このことに記されるとおり、ＷＨＯはここにきて「研究所の事故説」に次第に傾いていると言えよう。

振り返ると、二〇二一年一月から二月にかけてＷＨＯ調査団に武漢市での現地調査を許可したのが中国側にとって許容範囲の限界と言えた。しかし現地調査を認めたと言っても、中国調査団との共同調査という形に中国側は執着し、調査内容についても一々、口出しした。このためＷＨＯ調査団の自由裁量は厳しく制限され、ＷＨＯ調査団は身動きがとれないという有様であった。しかも三月三〇日に「ＷＨＯ報告書（"WHO-convened global study of origins of SARS-CoV-2: China part," (Joint WHO-China Study14 January-10 February 2021) Joint Report.)」という中国側の意向でまとめられたとしか思われない内容の調査報告をＷＨＯが発表し、各国の厳しい批判に曝されたのは周知のとおりである。

習近平にすれば、これをもって発生源を巡る問題の幕引きとしたいところであったと言える。それでもエンバレクを筆頭とするＷＨＯ調査団にウイルスの感染発生時期を始めとする、幾つもの重大な事実の片鱗をかぎつけられることになった。これを境として、WHOが中国側に感染拡大初期の患者の血液データや検体の提供に加えWHOによる独自調査を求めた。これに対し、生データの提供やさらなる現地調査を許可することがあれば、隠し続けてきた証拠を捉まれかねないと、習近平は危惧したのでなかろうか。そこで、WHOの要請には断固応じられないという姿勢を習近平はあらわにしたのである。

新型コロナウイルスの発生源を巡る真相に近づこうとすれば、どうしても中国科学院武漢ウイルス研究所の実験室の事故の可能性は避けて通ることはできない。その意味で、同研究所に纏わる疑念は容易に払拭し難い。したがって、WHOの調査への習近平指導部による協力が不可欠になるとは言え、米国だけでなくWHOに対して敵意とも受け取れかねない反発を習近平指導部が示している以上、今後、発生源を巡る真相解明は一層難航するであろう。

何故、習近平はWHOへの協力を拒み続けるのか。二〇〇二年から二〇〇三年にかけて流行したSARSコロナウイルスの感染拡大からわずか一七年後に未曽有と言うべき新型コロナウイルスのパンデミックが発生し、現在も世界の多数国がその被害に苦しんでいる。二〇二〇年一月九日に習近平指導部が新型コロナウイルスのゲノム情報を開示したことにより、同ウイルスがＳＡＲＳコロナウイルスと極めて類似していることが明らかになったことを踏まえると、武漢ウイルス研究所の実験室で行われていたとされるＳＡＲＳコロナウイルスの研究が何らかの事由で新型コロナウイルスの発生を招いてしまったのではないかと推察することは決してありえないわけではないであろう。しかも新型コロナウイルスの発生源を巡る真相の解明がこのまま遅々として進まないようでは、いつ何時、また新たなウイルスの発生を招いてもおかしくないであろう。

しかもこの間、習近平は外部世界に向けて恫喝とも受け取れる強烈なメッセージを発している。二〇二一年七月一日の中国共産党創建百周年記念式典で習近平は北京の天安門に集まった群衆を前に断固たる姿勢を示した。習近平曰く、「外国勢力が中国人をいじめ、抑圧し、奴隷扱いするなら、中国人民が血と肉で築いた鋼鉄の長城を前に、血を流すことになろう。」習近平演説にみられるのは必要とあらば武力の行使を何らいとわないとの強い決意表明である。これが一四億の人口を抱える国家の最高指導者が発すべき発言であろうか、耳を疑いたくなる。

中国内での新疆ウイグル自治区での大規模かつ深刻な人権抑圧、香港の自治の事実上の剥奪、さらに台湾への軍事侵攻に向けた威嚇を始めとする中国の膨張主義的かつ覇権主義的な動きに対し、各国による批判が一段と高まりを見せている。習近平による恫喝はそうした批判に対する痛烈な牽制と捉えることができよう。「外国勢力が中国人をいじめ、抑圧し、奴隷扱いするなら」と習近平は外部世界を激しく罵るが、実際に起きていることは中国国内の人権の大規模かつ深刻な抑圧や弾圧であり、南シナ海や東シナ海での武力による露骨な現状変更の目論見である。これに対しもはや看過できないとみた各国が習近平指導部に対し非難の声を上げているのである。

コロナ禍の下で近隣諸国がその対策に追われている最中、コロナ禍を逆手に取るかのように、習近平が「中国の夢」として「中華民族の偉大なる復興」を掲げ、世界大国の実現に向けてがむしゃらに突進している感がある。その結果、米国を始めとする各国との深刻な対峙が不可避となるのではなかろうか。攻勢一辺倒の感のある習近平がこのまま「中国の夢」の実現に向けて突き進むことがあれば、大破局を招きかねないことを気付いていないのであろうか。

最後に多くの人たちからご指導を頂いてきた。この場をお借りして、厚く感謝の意を表したい。本書は論創社から刊行させて頂いた五冊目の著作である。本書の刊行にあたっても、論創社社長の森下紀夫様から格別のご理解と支援を頂くことになった。改めて感謝したい所存である。

二〇二一年九月

斎藤　直樹

sea exercises, " *Japan Times*, (August 19, 2020.)

(19) 菅氏とバイデン氏の電話会談について、「バイデン氏、尖閣は「安保条約5条の適用対象」と明言…菅首相と初の電話会談」『読売新聞』(2020年11月12日)。

(20) この点について、「尖閣周辺の漁船接近相次ぐ　中国海警法1カ月　追尾、最多ペース」『毎日新聞』(2021年3月1日)。

(21) 加藤氏の発言について、同上。

(22) 栗戦書の発言について、「海警法で「強軍思想」実現　第2海軍の性格鮮明　中国全人代報告」『時事通信』(2021年3月8日)。

(23) この点について、斎藤直樹「米国の尖閣と台湾防衛の本気度 (1)(2)」『百家争鳴』(2021年5月19、20日)。

(24) 日米首脳共同声明について、日米首脳共同声明「新たな時代における日米グローバル・パートナーシップ」(2021年4月16日)。

(25) 同上。

(26) この点について、「日米共同声明 約半世紀ぶりに台湾に言及 中国を強くけん制」*NHK*、(2021年4月17日)。

(27) この点について、同上。

(28) 公聴会での問題提起について、"Davidson: China could try to take control of Taiwan in 'Next Six Years,' " *USNI News*, (March 9, 2021.)

(29) 前掲「日米共同声明 約半世紀ぶりに台湾に言及 中国を強くけん制」。

(30) この点について、"China's Liaoning aircraft carrier group crosses Miyako Strait, patrols Diaoyu Islands, 'warning to Japan,'" *Global Times*, (April 28, 2021.)

"Remarks at the Richard Nixon Presidential Library and Museum: "Communist China and the Free World's Future," The Richard Nixon Presidential Library and Museum, Yorba Linda, California, (July 23, 2020.)

(12) 習近平氏の演説について、"Statement by H.E. Xi Jinping President of the People's Republic of China at the General Debate of the 75th Session of The United Nations General Assembly," Ministry of Foreign Affairs of the People's Republic of China, (September 22, 2020.)

(13) 香港国家安全維持法の制定について、"Hong Kong security law: What is it and is it worrying?" *BBC News*, (June 30, 2020.); "Hong Kong security law: China passes controversial legislation," *BBC News*, (June 30, 2020.); and "China passes National Security Law for Hong Kong," *Time*, (July 1, 2020.)

(14) 王毅外相の発言について、「海警法「国際法に合致」 対日関係重視、対話解決訴え　中国・王毅外相」『時事通信』(2021年3月7日)。

(15) この点について、斎藤直樹「海警法と尖閣諸島実効支配の危機(1)(2)」『百家争鳴』(2021年3月17日、18日)。

(16) この点について、前掲「中国海警法による国際秩序への挑戦　尖閣諸島周辺海域における中国海警局の活動への示唆」。

(17) 同報道について、「中国、漁船群の尖閣領海侵入を予告 「日本に止める資格ない」」『産経新聞』(2020年8月2日)。

(18) 日米共同軍事演習について、「東シナ海で日米共同訓練実施…尖閣周辺の禁漁明け、中国けん制か」『読売新聞』(2020年8月19日)。"Japan and U.S. militaries complete multiple joint air and

（4）中華人民共和国海警法について、中华人民共和国海警法(2021年1月22日第十三届全国人民代表大会常务委员会第二十五次会议通过)。

（5）この点について、"Remarks by President Trump on actions against China," The White House, (May 29, 2020.)

（6）米海軍空母打撃群の派遣について、"Tensions heat up in South China Sea as US makes significant show of force," *CNN*, (July 6, 2020.) ; and "US Navy aircraft carriers resume rare dual exercises in the South China Sea," *CNN*, (July 17, 2020.)

（7）「航行の自由作戦」の実施について、"USS Ralph Johnson conducts freedom of navigation operation in South China Sea," U.S. Pacific Fleet Public Affairs, (July 14, 2020.); and "US conducts Freedom of Navigation Operation near China-held features in Spratlys," *the Diplomat*,(July 15, 2020.)

（8）台湾との防衛協力について、"U.S. Congress notified of drone sale to Taiwan: Pentagon," *Reuters*, (November 3, 2020.)

（9）日米共同軍事演習について、「東シナ海で日米共同訓練実施…尖閣周辺の禁漁明け、中国けん制か」『読売新聞』（2020年8月19日）。"Japan and U.S. militaries complete multiple joint air and sea exercises," *Japan Times*, (August 19, 2020.)

（10）通信市場からファーウェイなどの締出しについて、"The President's Executive Order on Hong Kong Normalization," The White House, (July 14, 2020.) 中国総領事館の閉鎖の指示について、"US shuts China's Houston consulate; Pompeo cites intellectual property theft," *VOA news*,(July 22, 2020.)

（11）ポンペオ氏による演説について、Secretary Michael R. Pompeo,

(February 14, 2021.)

(43) バイデンの発言について、"LIVE – Donald Trump acquitted: "This sad chapter in our history reminded us that democracy is fragile" , reacts Joe Biden," ***Today 24. News***, (February 14, 2021.)

(44) トランプによる猛反駁について、"Donald Trump says impeachment trial part of 'greatest witch-hunt in the history of our country,'" ***ABC***, (February 14, 2021.)

結論

（1）この点について、斎藤直樹「コロナ禍の間隙を突く中国の強引な海洋進出（2）」『百家争鳴』（2020 年 6 月 30 日）。

追記

（1）この点について、斎藤直樹「習近平の「海洋帝国」の建設と海警法施行（1）（2）」『百家争鳴』（2021 年 3 月 12 日、13 日）。

（2）仲裁裁判所の判決について、"The South China Sea Arbitration (12 July 2016) PCA Case No. 2013-19," Peace Palace Library, (July 12, 2016.); "Beijing rejects tribunal's ruling in South China Sea," ***the Gurdian***, (July 12, 2016.); "Tribunal rejects Beijing's claims in South China Sea," ***New York Times***, (July 13, 2016.); and "U.S. position on maritime claims in the South China Sea," U.S. Department of State, (July 13, 2020.)

（3）古谷健太郎「中国海警法による国際秩序への挑戦　尖閣諸島周辺海域における中国海警局の活動への示唆」国際情報ネットワーク分析 IINA、(2021 年 2 月 18 日)。

(32) ハウリーの異議申立てについて、"Sen. Josh Hawley becomes a pariah on Capitol Hill," *NBC News*, (January 9, 2021.)

(33) この点について、"GOP senators, led by Cruz, to object to Electoral College certification, demand emergency audit. The lawmakers call for an electoral commission to be established to audit results." *Fox News*, (January 2, 2021.)

(34) 米連邦議会議事堂襲撃事件について、斎藤直樹「バイデン新政権と不正選挙の代償(1)(2)」『百家争鳴』(2021年2月1日、2日。)

(35) ペンスに差戻しを期待するトランプの書込みについて、Donald J. Trump @realDonaldTrump (January 6, 2021.)

(36) ペンスを批判するトランプの書込みについて、Donald J. Trump @realDonaldTrump (January 6, 2021.)

(37) 支持者に行動の自粛を求めるトランプの書込みについて、Donald J. Trump @realDonaldTrump (January 6, 2021.)

(38) トランプの弾劾裁判について、斎藤直樹「議会襲撃事件とトランプ弾劾裁判 (1) (2)」『百家争鳴』(2021年2月24日、25日。)

(39) この点について、"How one of America's ugliest days unraveled inside and outside the Capitol," *The Washington Times*, (January 9, 2021.)

(40) 弾劾訴追決議案の可決について、"House votes to impeach Trump, but Senate trial unlikely before Biden's inauguration," *NPR*, (January 13, 2021.)

(41) 弾劾裁判の票決について、"Donald Trump acquitted in second impeachment trial," *CNN*, (February 13, 2021.)

(42) トランプの発言について、"Our historic movement to Make America Great Again has only just begun: Trump," *AP*,

(22) この点について、"Giuliani says invalid ballot in Wisconsin would overturn election if tossed," Sunday Morning Futures, *Fox News*, (December 7, 2020.)

(23) トランプの書込みについて、Donald J. Trump @realDonaldTrump（December 26, 2020.）

(24) この点について、*op. cit.*, "Giuliani says invalid ballot in Wisconsin would overturn election if tossed."

(25) この点について、"Posts falsely claim there are only 133 million registered voters in the US," *AP*, (December 30, 2020.)

(26) 世論調査の偏向について、斎藤直樹「米大統領選を巡るメディアの情報統制と統計操作(1)(2)」『百家争鳴』(2020年10月25、26日)。

(27) この点について、*op. cit.*, "Giuliani says invalid ballot in Wisconsin would overturn election if tossed."

(28) この点について、"Texas sues four battleground states in Supreme Court over 'unlawful election results' in 2020 presidential race," *CNBC*, (December 8, 2020.)

(29) 選挙人の確定について、"All 538 electors have voted, formalizing Biden's 306-232 win. Here's how the Electoral College works," *CBS News*, (December 15, 2020.)

(30) この点について、"Mo Brooks: 'Trump won the electoral college' — I can be a part of the 'Surrender Caucus' or I can fight for our country," *Breitbart*, (December 15, 2020.)

(31) この点について、"Exclusive: Tuberville doing 'due diligence' before making decision on congressional challenge to Electoral College votes," *Yellowhammer News*, (December 15, 2020.)

(12) トランプの書込みについて、Donald J. Trump @realDonaldTrump（December 6, 2020.）

(13) この点について、「米大統領選 州ごとの速報　ネバダ州」『ロイター』、（2020 年 11 月 27 日）。

(14) ビナルの証言について、Senate Homeland Security and Governmental Affairs Committee, Witness Statement of Jesse Binnall, (December 16, 2020.)

(15) トランプの書込みについて、Donald J. Trump @realDonaldTrump (December 16, 2020.)

(16) 同公聴会について、"Examining Irregularities in the 2020 Election," U.S. Senate Committee on Homeland Security & Governmental Affairs, (December 16, 2020.)

(17) ジョンソンの発言について、"Probing election irregularities," *Fox News*, (December 16, 2020.)

(18)「ナバロ・レポート」について、"The Immaculate deception: Six key dimensions of election irregularities," (The Navarro Report), (December 17, 2020.) 斎藤直樹「米大統領選 - 運命の 1 月 6 日に向けた闘い（1）（2）」『百家争鳴』（2020 年 12 月 28 日、29 日）。

(19) 同世論調査について、"Sen. Hawley blasts 'hypocritical' Democrats over election count objection, points to Bush race," *Fox News*, (December 30, 2020.)

(20) この点について、斎藤直樹「2020 年米大統領選 - 不正選挙とメディアの沈黙（1）（2）」『百家争鳴』（2021 年 2 月 11 日、12 日）。

(21) トランプの書込みについて、Donald J. Trump @realDonaldTrump（December 11, 2020.）

家争鳴』（2020年10月18、19日）。

（2）2020年米大統領選での大規模不正について、斎藤直樹「盗まれた米大統領選（1）（2）」『百家争鳴』（2020年12月22日、23日。）

（3）この点について、"Major networks cut away from Trump's baseless fraud claims," *New York Times*, (November 5, 2020.)

（4）この点について、Donald J. Trump @realDonaldTrump (November 19, 2020.)

（5）この点について、「米大統領選 州ごとの速報　ウィスコシン州」ロイター（2020年12月7日）。

（6）この点について、Donald J. Trump @realDonaldTrump (November 20, 2020.)

（7）この点について、「米大統領選 州ごとの速報　ミシガン州」ロイター（2020年11月29日）。

（8）監視カメラに捉えられた不正現場の映像について、"Video footage from Georgia shows suitcases filled with ballots pulled from under a table after supervisors told poll workers to leave," *AIR.TV*.; and "Video from GA shows suitcases filled with ballots pulled from under a table AFTER poll workers left," (December 4, 2020.)

（9）ジュリアーニの発言について、"Giuliani says invalid ballot in Wisconsin would overturn election if tossed," Sunday Morning Futures, *Fox News*, (December 7, 2020.)

（10）トランプの書込みについて、Donald J. Trump @realDonaldTrump（December 9, 2020.）

（11）この点について、「米大統領選 州ごとの速報　ジョージア州」ロイター（2020年12月7日）。

news,(July 22, 2020.)

(62) ポンペオによる演説について、Secretary Michael R. Pompeo, "Remarks at the Richard Nixon Presidential Library and Museum: "Communist China and the Free World's Future," The Richard Nixon Presidential Library and Museum, Yorba Linda, California, (July 23, 2020.) 斎藤直樹「ポンペオ国務長官による米中新冷戦演説（1）（2）」『百家争鳴』(2020 年 8 月 4､5 日)。

(63) この点について､*op. cit.*, Secretary Michael R. Pompeo, "Remarks at the Richard Nixon Presidential Library and Museum: "Communist China and the Free World's Future."

(64) この点について、斎藤直樹「米中新冷戦の起源（1）（2）」『百家争鳴』(2020 年 7 月 27、28 日)。

(65) *op. cit.*, "Remarks at the Richard Nixon Presidential Library and Museum: "Communist China and the Free World's Future."

(66) *Ibid.*

(67) 李文亮について、"The Chinese doctor who tried to warn others about coronavirus," *BBC News*, (February 6, 2020.)

(68) この点について、*op. cit.*, "Remarks at the Richard Nixon Presidential Library and Museum: "Communist China and the Free World's Future."

(69) *Ibid.*

(70) *Ibid.*

(71) *Ibid.*

第三章

（1）この点について､斎藤直樹「トランプの再選はあるのか (1)(2)」『百

actions against China," White House, (May 29, 2020.)

(53) ジョンソンの発言について、"Hong Kong: UK makes citizenship offer to residents," ***BBC News***, (July 1, 2020.)

(54) 犯罪人引渡条約の停止について、"UK to change extradition deal with Hong Kong – PM," ***BBC News***, (July 20, 2020.)

(55) 空母打撃群の派遣について、"Tensions heat up in South China Sea as US makes significant show of force," ***CNN***, (July 6, 2020.) ; and "US Navy aircraft carriers resume rare dual exercises in the South China Sea," ***CNN***, (July 17, 2020.)

(56)「航行の自由作戦」の実施について、"USS Ralph Johnson conducts freedom of navigation operation in South China Sea," U.S. Pacific Fleet Public Affairs, (July 14, 2020.); and "US conducts Freedom of Navigation Operation near China-held features in Spratlys," ***the Diplomat***,(July 15, 2020.)

(57) 台湾との防衛協力について、"U.S. Congress notified of drone sale to Taiwan: Pentagon," ***Reuters***, (November 3, 2020.)

(58) 日米共同軍事演習について、「東シナ海で日米共同訓練実施…尖閣周辺の禁漁明け、中国けん制か」『読売新聞』(2020年8月19日)。Japan and U.S. militaries complete multiple joint air and sea exercises, ***Japan Times***, (August 19, 2020.)

(59) トランプの発言について、"The President's Executive Order on Hong Kong Normalization," ***The White House***, (July 14, 2020.)

(60) ジョンソンの発言について、"Huawei 5G kit must be removed from UK by 2027," ***BBC News***, (July 14, 2020.)

(61) 中国総領事館の閉鎖指示について、"US shuts China's Houston consulate; Pompeo cites intellectual property theft," ***VOA***

・香港の自治の形骸化に関わった人物への制裁、
・米国と香港の間の犯罪者の引渡し条約の破棄、
・軍事・民生両用使用可能品目の輸出管理についての例外措置の撤廃、
・「軍民融合戦略」に関わる中国籍渡航者の米国への入国停止、
・米株式市場に上場する中国企業に対する厳格な監査。この点について、「トランプ米大統領、対中国措置を発表、香港への国家安全法導入を受けて」日本貿易振興機構(ジェトロ)(2020年6月1日)。

(46) 香港国家安全維持法の制定について、"Hong Kong security law: What is it and is it worrying?" *BBC News*, (June 30, 2020.);"Hong Kong security law: China passes controversial legislation," *BBC News*, (June 30,2020.); and "China Passes National Security Law for Hong Kong," *Time*, (July 1, 2020.)

(47) 蔡英文の発言について、"China Must Try to Co-exist With Democratic Taiwan, Tsai Says," *Bloomberg*, (May 20, 2020.)

(48) この点について、"Xi stresses strengthening national defense, armed forces," *Xinhua*, (May 26, 2020.)

(49) 李作成の発言について、"Attack on Taiwan an option to stop independence, top China general says," *Reuters*, (May 29, 2020.)

(50) この点について、"PLA holds intensive landing, naval drills in 'warning to secessionists,' " *Global Times*, (June 4, 2020.)

(51) この点について、"China's official 2020 Defense Budget to rise 6.6% to $178 Billion (1.27 Trillion Yuan): Lowest growth rate since 1988 exceeds all other major nations, " (May 22, 2020.)

(52) トランプの発言について、"Remarks by President Trump on

（1）（2）」『百家争鳴』（2020年6月22、23日）。斎藤直樹「緊急条例発動 - 香港問題に思うこと（1）（2）」『百家争鳴』（2019年10月11、12日）。

（38）「英中共同宣言」について、"Joint Declaration of the Government of the United Kingdom of Great Britain and Northern Ireland and the Government of the People's Republic of China on the Question of Hong Kong," (December 19,1984.)

（39）「逃亡犯条例」改正案について、"Fugitive Offenders and Mutual Legal Assistance in Criminal Matters Legislation (Amendment) Bill 2019."

（40）「逃亡犯条例」改正案の完全撤回について、"Hong Kong formally scraps extradition bill that sparked protests," ***BBC News***, (October 23, 2019.)

（41）この点について、"Hong Kong elections: Pro-democracy groups makes big gains," ***BBC News***, (November 25, 2019.)

（42）「法律制度と執行メカニズム」の採択について、"Chinese leadership says it will ensure Hong Kong's stability, prosperity," ***Reuters***, (October 31, 2019.)

（43）香港国家安全法の採択について、"National People's Congress decision on Hong Kong national security legislation," (May 28, 2020.): and "What China's New National Security Law Means for Hong Kong," ***New York Times***, (June 28, 2020.)

（44）トランプの発言について、"Remarks by President Trump on actions against China," White House, (May 29, 2020.)

（45）その骨子は以下のとおりである。

・香港に対する関税上の優遇措置の撤廃、

Department of State.

(28) この点について、「東アジアはミサイル競争…韓半島がさらに危険に（１）」『中央日報』(2019年10月25日)。

(29) 東風-21について、"DF-21 (Dong Feng-21 / CSS-5)," CSIS Missile Threat Project.

(30) 東風-26について、"DF-26 (Dong Feng-26)," CSIS Missile Threat Project.

(31) この点について、「米ミサイル韓国配備ならＴＨＡＡＤ報復以上に…中国は断交も辞さない（２）」『中央日報』(2019年8月21日)。

(32) INF全廃条約の失効について、"The Intermediate-Range Nuclear Forces (INF) Treaty at a glance," Arms Control Association, (August 2, 2019.); and "What does the demise of the INF Treaty mean for nuclear arms control?" *Foreign Policy*, (August 2, 2019.)

(33) この点について、"Pentagon calls Chinese anti-ship missile test in South China," *Japan Times*, (July 3, 2019.)

(34) この点について、"Esper: US to soon put intermediate range missile in Asia," *AP*, (August 3, 2019.)

(35) 傅聡による反発について、"Briefing by Mr. FU Cong, Director General of the Department of Arms Control and Disarmament of Ministry of Foreign Affairs," Ministry of Foreign Affairs of the People's Republic of China, (August 6, 2019.)

(36) この点について、"China's missiles warn U.S. aircraft carriers to stay away," *Bloomberg*, (August 27, 2020.)

(37) この点について、斎藤直樹「香港国家安全法の衝撃とその影響

Wedge REPORT（2017 年 8 月 23 日）。

（20）軍事演習について、“Taiwan says Chinese carrier group held military drills,” *Japan Times*, (April 13, 2020.)

（21）同事件について、「中国公船、日本の抗議後も尖閣領海で漁船追尾　今月上旬、領海外でも４５キロ」『産経新聞』（2020 年 5 月 24 日）。

（22）趙立堅の発言について、「中国外務省「日本漁船が違法操業」尖閣沖追尾を正当化」『時事』（2020 年 5 月 11 日）。

（23）茂木外相の答弁について、「中国が『サラミ戦略』」「一つずつ現状変更」茂木外相が警戒感　尖閣・漁船追尾問題」『毎日新聞』（2020 年 6 月 12 日）。

（24）この点について、斎藤直樹「世界大国を目論む中国の核軍拡への猛進（1）（2）」『百家争鳴』（2020 年 7 月 13、14 日）。斎藤直樹「わが国への米国の中距離ミサイルの導入問題（1）（2）」『百家争鳴』（2019 年 11 月 4、5 日）。斎藤直樹「INF 全廃条約失効と米国による INF 再配備の展望（1）（2）」『百家争鳴』（2019 年 10 月 24、25 日）。

（25）NPT 第 6 条について、「核兵器の不拡散に関する条約（略称：核兵器不拡散条約）」外務省。

（26）この点について、「軍縮・不拡散」外務省。

（27）INF 全廃条約の条文について、“Treaty between the United States of America and the Union of Soviet Socialist Republics on the elimination of their Intermediate-Range and Shorter-Range Missiles (INF Treaty),” US Department of State; and the Intermediate-Range Nuclear Forces Treaty, BUREAU OF ARMS CONTROL, VERIFICATION AND COMPLIANCE, US countries from debt repayment."「習近平国家主席、債務免除を含めたアフリカへの支援を表明」日本貿易振興機構、(2020年6月24日)。

(13) この点について、斎藤直樹「コロナ禍の間隙を突く中国の強引な海洋進出(1)(2)」『百家争鳴』(2020年6月29、30日)。

(14) 仲裁裁判所の裁定について、"The South China Sea Arbitration (12 July 2016) PCA Case No. 2013-19," Peace Palace Library, (July 12, 2016.); "Beijing rejects tribunal's ruling in South China Sea," ***the Gurdian***, (July 12, 2016.); "Tribunal rejects Beijing's claims in South China Sea," ***New York Times***, (July 13, 2016.); and "U.S. position on maritime claims in the South China Sea," U.S. Department of State, (July 13, 2020.)

(15) 南沙諸島の「軍事拠点化」に向けた動きについて、"China's activities in the South China Sea," Japan Ministry of Defense, (October 2020.)

(16)「航行の自由作戦」について、"America's freedom of navigation operations are lost at sea," ***Foreign Policy***, (January 8, 2019.) ; and "US navy conducts first freedom of navigation operation of 2019 in South China Sea," ***The Diplomat***, (January 8, 2019.)

(17) 同事件について、"Vietnam protests Beijing's sinking of South China Sea boat," ***U.S. News***, (April 4, 2020.)

(18) 行政区の設置について、"Fishing while the water is muddy: China's newly announced administrative districts in the South China Sea," CSIS, (May 6, 2020.)

(19) この点について、「戦略の地政学―中国の海洋進出を阻む沖縄―」

務の罠」（1）（2）」『百家争鳴』（2020年7月7、8日）。

（3）貸付け総額について、Benn Steil and Benjamin Della Rocca, "It takes more than money to make a Marshall Plan," Council on Foreign Relations, (April 9, 2018.); and Jane Perlez and Yufan Huang, "Behind China' s $1 trillion plan to shake up the economic order," *New York Times*, (May 13, 2017.)

（4）債務返済のリスクを抱える国々について、John Hurley, Scott Morris, and Gailyn Portelance, "Examining the debt implications of the belt and road initiative from a policy perspective," Center for Global Development, CGD Policy Paper 121, (March 2018.)

（5）ハンバントタ港湾施設について、"The Hambantota port deal: myths and realities," *The Diplomat*, (January 1, 2020.)

（6）「債務の罠」について、Dylan Gerstel, "It' s a (debt) trap! Managing China-IMF cooperation across the Belt and Road," CSIS.

（7）この点について、Binit Agrawal, "One Belt One Road: A road to disaster," *Law School Policy Review*, (August 13, 2018.)

（8）この点について、*Ibid.*

（9）この点について、"China exempts some African countries from debt repayment," *Opera News*, (June 18, 2020.)

（10）G20の合意について、"A "debt standstill" for the poorest countries: How much is at stake?" *OECD*, (May 27, 2020.)

（11）この点について、"Coronavirus: Chinese economy bounces back into growth, " *BBC News*, (July 16, 2020.)

（12）この点について、*op. cit.*, "China exempts some African

(135) ファウチへの批判について、"Republicans call for Fauci's termination over shifting position on Wuhan lab funding," *CNBC*, (May 26. 2021.)

(136) 中国情報機関高官の亡命について、"Chinese top official defected to US, gave Biden administration info about Wuhan lab, report suggests," *The Times of India*, (June 17, 2021.)

(137) 武漢ウイルス研究所へノーベル賞を授与すべきとする発言について、"Scientists in Wuhan should be awarded Nobel Prize, rather than being blamed: FM," *Global Times*, (June 17, 2021.)

(138) テドロスの発言について、"WHO chief says it was 'premature' to rule out COVID lab leak," *AP*, (July 15, 2021.)

(139) *Ibid.*

(140) *Ibid.*

(141) *Ibid.*

(142) *Ibid.*

(143) *Ibid.*

(144) 趙立堅の反駁について、"Foreign Ministry Spokesperson Zhao Lijian's Regular Press Conference on July 16, 2021," (July 16, 2021.)

第二章

(1) この点について、アーロン・L・フリードバーグ、「権威主義諸国の挑戦　中国、ロシアとリベラルな国際秩序への脅威("The Authoritarian Challenge: China, Russia and the threat to the liberal international order")」。

(2) この点について、斎藤直樹「コロナ禍で揺れる「一帯一路」と「債

年5月10、11日）。

（126）テドロスの釈明について、“WHO Director-General's remarks at the member state briefing on the report of the international team studying the origins of SARS-CoV-2,” WHO, (March 30, 2021.)

（127）共同声明について、“Joint Statement on the WHO-convened COVID-19 origins study,” US State Department, (March 30, 2021.)

（128）レッドフィールドの発言について、“Exclusive: Former CDC director makes controversial claim that Covid-19 began in a China lab,” *CNN*, (March 26, 2021.)

（129）バイデン大統領の声明について、“Statement by President Joe Biden on the Investigation into the origins of COVID-19,” The White House, (May 26, 2021.)

（130）武漢ウイルス研究所職員の入院情報について、“Intelligence on sick staff at Wuhan lab fuels debate on Covid-19 origin,” *Wall Street Journal*, (May 23, 2021.)

（131）バイデンの声明について、*op. cit.*, “Statement by President Joe Biden on the Investigation into the origins of COVID-19.”

（132）趙立堅の反駁について、“China denounces U.S. 'political hype' on origin tracing of COVID-19,” *CGTN*, (May 27, 2021.)

（133）トランプの発言について、“In rare public outing, Trump denounces Fauci, China; dangles 2024 prospects,” *Reuters*, (June 6, 2021.)

（134）この点について、“The COVID lab-leak hypothesis: what scientists do and don' t know,” *Nature*, (June 8, 2021.)

source of COVID-19: why it matters."

(115) エンバレクの発言について、*op. cit.*, "Wuhan market had role in virus outbreak, but more research needed – WHO."

(116) 同論文について、*op. cit.*, "The possible origins of 2019-nCoV coronavirus."

(117) 同報道について、*op. cit.*, "State Department cables warned of safety issues at Wuhan lab studying bat coronaviruses."

(118) 米国家情報長官室の声明について、*op. cit.*, "Intelligence Community Statement on Origins of COVID-19."

(119) 共同記者会見について、「WHO 武漢調査団が会見 研究所からのコロナ流出「可能性極めて低い」」*AFP*, (2021 年 2 月 9 日)。"WHO says Covid 'most likely' originated in animals and spread to humans, dismisses lab leak theory," *HEALTH AND SCIENCE*, (February 9, 2021.)

(120) この点について、前掲「WHO 武漢調査団が会見 研究所からのコロナ流出「可能性極めて低い」」。

(121) エンバレクの発言について、"CNN Exclusive: WHO Wuhan mission finds possible signs of wider original outbreak in 2019," *CNN*, (February 15, 2021.)

(122) この点について、*Ibid.*

(123) この点について、*Ibid.*

(124) エンバレクの発言について、*Ibid.*

(125) 「WHO 報告書」について、"WHO-convened global study of origins of SARS-CoV-2: China part," (Joint WHO-China Study14 January-10 February 2021) Joint Report. 斎藤直樹「信用と信頼を損ねた「WHO 報告書」と問題点」『百家争鳴』(2021

（103） *Ibid.*

（104） ポンペオの演説について、Secretary Michael R. Pompeo, "Remarks at the Richard Nixon Presidential Library and Museum: Communist China and the free world's future," The Richard Nixon Presidential Library and Museum, Yorba Linda, California (July 23, 2020.)

（105） 習近平の演説について、*op. cit.*, "Statement by H.E. Xi Jinping President of the People's Republic of China at the General Debate of the 75th Session of The United Nations General Assembly."

（106） *Ibid.*

（107） トランプの演説について、"Remarks by President Trump to the 75th Session of the United Nations General Assembly," The White House, (September 22, 2020.) 斎藤直樹「コロナ禍に対するトランプの反駁（1）（2）」『百家争鳴』（2020年10月13、14日）。

（108） *op. cit.*, "Remarks by President Trump to the 75th Session of the United Nations General Assembly."

（109） *Ibid.*

（110） *Ibid.*

（111） *Ibid.*

（112） この点について、斎藤直樹「WHOの武漢現地調査と深まる謎（1）（2）」『百家争鳴』（2021年3月27、28日）。

（113） 同報告書について、前掲「財新」特約 疫病都市 第1回「封鎖された1100万人都市」。

（114） この点について、*op. cit.*, "Scientists are still searching for the

an US-These zur Entstehung des Coronavirus," *Der Spiegel*, (8. Mai 2020)

(93) 『ニューズウィーク紙』の報道について、"Exclusive: As China hoarded medical supplies, the CIA believes it tried to stop the WHO from sounding the alarm on the pandemic," *News Week*, (May 12, 2020.)

(94) 『ワシントン・ポスト紙』の報道について、"State Department cables warned of safety issues at Wuhan lab studying bat coronaviruses," *The Washington Post*, (April 14, 2020.)

(95) この点について、*op. cit.*, "Fighting COVID-19 through solidarity and cooperation: Building a global community of health for all."

(96) WHO年次総会での決議の採択について、"WHO experts to travel to China," WHO, (July 7, 2020.)

(97) この点について、"Coronavirus: World Health Organization members agree response probe," *BBC News*, (May 19, 2020.)

(98) 先遣隊の派遣について、"China uses W.H.O. inquiry to tout coronavirus response," *New York Times*, (July 21, 2020.)

(99) テドロスの発言について、"WHO advance team ends visit to China to probe COVID origin," *AP*, (August 4, 2020.)

(100) 習近平の演説について、"Statement by H.E. Xi Jinping President of the People's Republic of China at the general debate of the 75th session of the United Nations General Assembly," Ministry of Foreign Affairs of the People's Republic of China, (September 22, 2020.)

(101) *Ibid.*

(102) *Ibid.*

(83) トランプの発言について、“Trump on China: 'We could cut off the whole relationship'” *Fox Business*, (May 15, 2020.); and “Global report: Trump threat to cut trade ties over Covid-19 branded lunacy by Chinese media,” *the guardian*, (May 15, 2020.)

(84) エンバレクの発言について、“Wuhan market had role in virus outbreak, but more research needed – WHO,” *Reuters*, (May 8, 2020.)

(85) 習近平の演説について、“Fighting COVID-19 through solidarity and cooperation: Building a global community of health for all,” Statement by H.E. Xi Jinping, President of the People's Republic of China, at virtual event of opening of the 73rd World Health Assembly, Beijing, (May 18, 2020.) 斎藤直樹「コロナ禍に対する習近平の言い分（1）（2）」『百家争鳴』（2020年10月8、9日）。

(86) *op. cit.*, “Fighting COVID-19 through solidarity and cooperation: Building a global community of health for all.”

(87) *Ibid.*

(88) *Ibid.*

(89) テドロスの声明について、“WHO, China leaders discuss next steps in battle against coronavirus outbreak,” WHO, (January 28, 2020.)

(90) 李文亮について、“The Chinese doctor who tried to warn others about coronavirus,” *BBC News*, (February 6. 2020.)

(91) この点について、“China didn't warn public of likely pandemic for 6 key days,” *AP*, (April 15, 2020.)

(92)『シュピーゲル紙』の報道について、“Bundesregierung zweifelt

China's efforts to compete with US," *Fox News*, (April 15, 2020.)

(73) トランプの発言について、"Coronavirus may have come from a Chinese lab, if you believe Donald Trump — but experts disagree," *ABC*, (April 18, 2020.)

(74) ポンペオの発言について、"Trump raises spectre of COVID-19 as a virus that emerged from a Chinese lab" *The Week*, (April 17, 2020.)

(75) 趙立堅の発言について、*op. cit.*, "Coronavirus may have come from a Chinese lab, if you believe Donald Trump — but experts disagree."

(76) 石正麗の発言について、*Ibid.*

(77) モリソンの提案について、"Australia to pursue coronavirus investigation at World Health Assembly," *U.S. News*, (April 23, 2020.)

(78) 耿爽の猛反駁について、"China urges Australia to stop political manipulation," *CGTN*, (April 23, 2020.)

(79) 米国家情報長官室の声明について、" Intelligence community statement on origins of COVID-19," ODNI News Release No. 11-20 (April 30, 2020.)

(80) トランプの発言について、"Trump contradicts US intel community by claiming he's seen evidence coronavirus originated in Chinese lab," *CNN*, (May 1, 2020.)

(81) この点について、"Trump threatens new tariffs on China in retaliation for coronavirus," *CNBC*, (May 1, 2020.)

(82) トランプの発言について、"Trump says coronavirus worse 'attack' than Pearl Harbor," *BBC*, (May 7, 2020.)

(60) 鍾南山の発言について、「新型ウイルス 中国専門家「発生源 中国という証拠ない」」*NHK news web*、(2020年3月19日)。

(61) トランプの発言について、"Trump says China could've 'stopped' virus now roiling U.S.," *Bloomberg*, (March 19, 2020.)

(62) 耿爽の記者会見について、"Foreign Ministry Spokesperson Geng Shuang's regular press conference on March 20, 2020," (March 20, 2020.)

(63) トランプの書込みについて、Donald J. Trump @realDonaldTrump (April 8, 2020.)

(64) この点について、"Trump blames WHO for getting coronavirus pandemic wrong, threatens to withhold funding," *CNBC*, (April 7, 2020.)

(65) テドロスの発言について、"Coronavirus: WHO chief urges end to 'politicisation' of virus," *BBC News*, (April 9, 2020.)

(66) トランプの発言について、"Trump halts funding for the World Health Organization," *NBC*, (April 15, 2020.)

(67) この点について、*op. cit.*, "The possible origins of 2019-nCoV coronavirus."

(68)『ワシントン・ポスト紙』の報道について、"State Department cables warned of safety issues at Wuhan lab studying bat coronaviruses," *The Washington Post*, (April 14, 2020.)

(69) *Ibid.*

(70) *Ibid.*

(71) *Ibid.*

(72)『フォックス・ニュース』の報道について、"Sources believe coronavirus outbreak originated in Wuhan lab as part of

12, 2020.

(49) レッドフィールドの発言について、"Some influenza deaths were actually infected with COVID-19, Robert Redfield from US CDC ad," *www.c-span*, (March 11, 2020.)

(50) 耿爽の発言について、"Foreign Ministry Spokesperson Geng Shuang's regular press conference on March 13, 2020," (March 13, 2020.)

(51) 趙立堅の発言について、「米軍関与説「義憤から」 中国報道官が釈明—新型コロナ」『時事通信』(2020年4月7日)。

(52) トランプによる「国家非常事態」宣言について、"Proclamation on declaring a national emergency concerning the novel coronavirus disease (COVID-19) outbreak," The White House, (March 13, 2020.)

(53) トランプの発言について、"Trump declares national emergency over coronavirus," *BBC News*, (March 13, 2020.)

(54) この点について、*Ibid.*

(55) この点について、*Ibid.*

(56) この点について、「習氏、ウイルス発生源特定指示　新型コロナ、責任回避意図か—中国」『時事通信』(2020年3月15日)。

(57) トランプの書込みについて、Donald J. Trump @realDonaldTrump (March 17, 2020.)

(58) トランプの発言について、"President Trump uses term "Chinese virus" to describe coronavirus, prompting a backlash," *CBS News*, (March 19, 2020.)

(59) 耿爽の記者会見について、"Foreign Ministry Spokesperson Geng Shuang's regular press conference on March 17, 2020."

特約 疫病都市 第1回「封鎖された1100万人都市」。

（35）同論文について、Botao Xiao and Lei Xiao, "The possible origins of 2019-nCoV coronavirus," ***Research Gate***, (February 6, 2020.) 斎藤直樹「新型コロナウイルスの発生源はどこなのか（1）（2）」『百家争鳴』（2020年9月23、24日）。

（36）***op. cit.***, "The possible origins of 2019-nCoV coronavirus."

（37）***Ibid.***

（38）***Ibid.***

（39）***Ibid.***

（40）***Ibid.***

（41）***Ibid.***

（42）この点について、"State Department cables warned of safety issues at Wuhan lab studying bat coronaviruses," ***Global Opinions***, (April 14, 2020.)

（43）COVID-19の命名について、"Coronavirus," WHO, (February 12, 2020.)

（44）鐘南山の発言について、「鐘南山氏：ウイルス発生源は中国とは限らない　4月末の収束に自信」***Japanese.CHINA.ORG.CN***,（2020年2月28日）。

（45）ポンペオの発言について、"Top U.S. diplomat speaks of 'Wuhan virus' despite China's protests," ***Japan Times***, (Mar 7, 2020.)

（46）趙立堅の発言について、***Ibid.***

（47）テドロスの会見について、"WHO Director-General's opening remarks at the media briefing on COVID-19 - 11 March 2020," WHO, (March 11, 2020.)

（48）趙立堅の書込みについて、Lijian Zhao 赵立坚 (@zlj517) March

(27) 金正恩指導部による中朝国境閉鎖について、「北朝鮮の新型コロナウイルスへの対応：特徴と示唆」『北朝鮮分析』(2020 年 4 月 12 日)。

(28) テドロスの声明について、"WHO, China leaders discuss next steps in battle against coronavirus outbreak," WHO, (January 28, 2020.)

(29) WHO の声明について、"Statement on the second meeting of the International Health Regulations (2005) Emergency Committee regarding the outbreak of novel coronavirus (2019-nCoV)," WHO, (January 30, 2020.)

(30) テドロスの勧告について、"WHO Director-General's statement on IHR Emergency Committee on Novel Coronavirus (2019-nCoV), WHO, (January 30, 2020.)

(31) ***Ibid.***

(32) トランプによる「公衆衛生緊急事態」宣言について、"Trump declares coronavirus a Public Health Emergency and Restricts Travel from China," ***NPR***, (January 31, 2020.)

(33)「緊急事態」宣言の骨子は以下の通りである。

・過去 14 日間に中国湖北省に滞在した米国市民が米国に帰国する際、14 日間の強制検疫を受ける。

・過去 14 日間に中国本土の他の地域に滞在した米国市民は入国の際、空港で検査を受け、14 日間の監視を受ける。

・米市民でない渡航者の米国への入国を一時的に制限する。

・「緊急事態」宣言は 2 月 2 日午後 5 時（米東部時間）に発効する。

この点について、***Ibid.***

(34) 中国疾病予防管理センターによる発表について、前掲「財新」

early outbreak?"

(19) 習近平の「重要指示」について、「新型コロナウイルス肺炎の対策で習近平総書記が重要指示」『人民網』(2020年1月21日)。

(20) AP通信の報道について、*op. cit.*, "China didn' t warn public of likely pandemic for 6 key days."

(21) 『シュピーゲル紙』の報道について、"Bundesregierung zweifelt an US-These zur Entstehung des Coronavirus," *Der Spiegel*, (8. Mai 2020)

(22) WHOの声明について、"WHO Statement on false allegations in Der Spiegel," WHO News release, WHO, (May 9, 2020.)

(23) 『ニューズウィーク紙』の報道について、"Exclusive: As China hoarded medical supplies, the CIA Believes it tried to stop the WHO from sounding the alarm on the pandemic," *Newsweek*, (May 12, 2020.)

(24) WHOの声明について、"Statement on the first meeting of the International Health Regulations (2005) Emergency Committee regarding the outbreak of novel coronavirus (2019-nCoV)," WHO, (January 23, 2020.)

(25) この点について、*op. cit.*, "Exclusive: As China hoarded medical supplies, the CIA believes it tried to stop the WHO from sounding the alarm on the Pandemic."

(26) 武漢市の封鎖について、"China expands virus lockdown, encircling 35 million," *New York Times*, (January 23, 2020.); and "Chinese cities cancel New Year celebrations, travel ban widens in effort to stop coronavirus outbreak," *The Washington Post*, (January 24, 2020.)

（6）この点について、「新興感染症流行の病原体保有宿主としてのコウモリ」(Vol.27 p 17-17：2006年1月号) (Eurosurveillance Weekly, 10, Issue 45, 2005.)

（7）この点について、*op. cit.*, “The Chinese doctor who tried to warn others about coronavirus.”

（8）「原因不明の肺炎の治療に関する緊急通知」について、「財新」特約 疫病都市 第1回「封鎖された1100万人都市」『東洋経済』(2020年2月10日)。

（9）この点について、同上。

（10）同市場の消毒について、同上。

（11）中国共産党政治局常務委員会議の開催について、“Coronavirus: What did China do about early outbreak?” *BBC*, (June 9, 2020.)

（12）この点について、*op. cit.*, “Scientists are still searching for the source of COVID-19: why it matters.”

（13）この点について、「中国・武漢、新型ウイルス感染の男性死亡 初の死者」『日本経済新聞』(2020年1月11日)。

（14）この点について、「財新」特約 疫病都市 第4回　罪深き「空白の20日間」財新『東洋経済』(2020年2月10日)。

（15）この点について、“China didn’t warn public of likely pandemic for 6 key days,” *AP*, (April 15, 2020.)

（16）鐘南山の発言について、“China confirms human-to-human transmission as WHO emergency group meets,” *Medical Express*, (January 20, 2020.)

（17）鍾南山について、“COVID-19: Dr. Zhong Nanshan is in,” *The Diplomat*, (February 21, 2020.)

（18）この点について、*op. cit.*, “Coronavirus: What did China do about

注記

序論

（1）この点について、"WHO Director-General's opening remarks at the media briefing on COVID-19 - 11 March 2020," WHO, (March 11, 2020.)

（2）同世論調査について、"Sen. Hawley blasts 'hypocritical' Democrats over election count objection, points to Bush race," *Fox News*, (December 30, 2020.)

第一章

（1）この点について、斎藤直樹「パンデミックを引き起こした中国の初動対応の瑕疵（1）（2）」『百家争鳴』（2020年11月18日、19日）。

（2）同論文について、Chaolin Huang, Yeming Wang, Xingwang Li, Lili Ren, Jianping Zhao, Yi Hu, et al. "Clinical features of patients infected with 2019 novel coronavirus in Wuhan, China," *The Lancet*, (January 24, 2020.)

（3）この点について、"Scientists are still searching for the source of COVID-19: why it matters," *the Conversation*, (March 13, 2020.)

（4）この点について、"Coronavirus: What did China do about early outbreak?," *BBC*, (June 9, 2020.)

（5）李文亮について、"The Chinese doctor who tried to warn others about coronavirus," *BBC News*, (February 6, 2020.) 斎藤直樹「コロナ禍での習近平指導部の隠蔽工作とはなにか（1）（2）」『百家争鳴』（2020年9月29日、30日）。

斎藤直樹（さいとう・なおき）
1997年慶應義塾大学法学部政治学科卒業。1979年慶應義塾大学大学院法学研究科修士課程修了。1987年マイアミ大学国際問題大学院博士課程(the Graduate School of International Studies, the University of Miami)修了。国際学博士号(Ph. D. in International Studies)取得。現在：山梨県立大学名誉教授、山梨県立大学非常勤講師、神田外国語大学兼任講師、日本国際フォーラム上席研究員など。
主要業績：“Star Wars” Debate: Strategic Defense Initiatives and Anti-satellite Weapons, (Ph. D. Dissertation, the University of Miami, 1987)、『戦略防衛構想』（慶應通信、1992）、『戦略兵器削減交渉』（慶應通信、1994）、『国際機構論』（北樹出版、1998）、『（新版）国際機構論』（北樹出版、2001）、『現代国際政治史（上・下）』（北樹出版、2002）、『紛争予防論』（芦書房、2002）、『イラク戦争と世界』（現代図書、2004）、『検証：イラク戦争』（三一書房、2005）、『北朝鮮危機の歴史的構造 1945 - 2000』（論創社、2013）、『北朝鮮「終りの始まり」2001 - 2015』（論創社、2016）、『米朝開戦：金正恩・破局への道』（論創社、2018）、『まやかしの非核化と日本の安全保障』（論創社、2019）、『狂える世界と不確実な未来』（論創社、2021）、他多数。
ホームページ URL: saitonaoki.jp

狂える世界と不確実な未来
——新型コロナウイルスの謎・米中新冷戦の勃発・２０２０年米大統領選の真相

2021年12月20日　初版第1刷印刷
2021年12月30日　初版第1刷発行

著　者　斎藤直樹
発行者　森下紀夫
発行所　論 創 社

東京都千代田区神田神保町 2-23　北井ビル
tel. 03（3264）5254　fax. 03（3264）5232　web. https://www.ronso.co.jp/
振替口座　00160-1-155266

装幀／宗利淳一
印刷・製本／精文堂印刷　組版／ロン企画
ISBN978-4-8460-2101-6　

まやかしの非核化と日本の安全保障
——金正恩とトランプの攻防

斎藤直樹　著

2019年2月刊行

定価：2420円（税込）

四六上製　256頁

ISBN：978-4--8460-1788-0

主要目次

北朝鮮の核兵器開発の現在を問う

金正恩は2017年の終りまで、アメリカ本土への核攻撃能力の獲得に邁進していたが、2018年の初めに突然「非核化」を示唆し、中韓・南北・米朝首脳会談を行い平和攻勢に転ずる！